# Pas de
# deux

## De la même auteure

**Série Klondike**
Tome 1, *La ruée vers l'or*, Hurtubise, 2012
Tome 2, *Les promesses de l'Eldorado*, Hurtubise, 2012
Tome 3, *Entre chien et loup*, Hurtubise, 2013

**Collection Atout**
*La Malédiction*, Hurtubise, 2001
*Intra-muros*, Hurtubise, 2009
*Amnesia*, Hurtubise, 2011

**Collection Caméléon**
*Les Lunettes de Clara*, Hurtubise, 2007

**Série Gnomes Dépôt**
Tome 1, *La bande à Darius*, Hurtubise, 2010
Tome 2, *Les soucis de monsieur Ivanov*, Hurtubise, 2010

**Chez d'autres éditeurs**
*L'Étoile des Mers*, Pierre Tisseyre, 2012
*Marie Rollet, mère de la Nouvelle-France*, de l'Isatis, 2011
*Les Hommes de maïs, mythe maya*, de l'Isatis, 2010
*La Poupée de Florence*, Vents d'Ouest, 2009
*Les Pépins de Fabio*, Vents d'Ouest, 2009
*Cap Liberté*, Vents d'Ouest, 2008
*Le Pèlerin d'amour, conte andalou*, de l'Isatis, 2007
*Détour en enfer*, Vents d'Ouest, 2006
*L'Affaire Saint-Aubin*, Vents d'Ouest, 2005
*La Prophétie de l'Ombre*, Vents d'Ouest, 2005
*Les Mutants de l'Éden*, Vents d'Ouest, 2005
*Le Club des fous rires*, de la Paix, 2005
*Le Catnappeur*, Vents d'Ouest, 2004
*Le Chant des cloches*, Pierre Tisseyre, 2004
*Paradigme 87*, Vents d'Ouest, 2003
*Le Grand Jaguar*, Vents d'Ouest, 2003
*La Nuit de tous les vampires*, Vents d'Ouest, 2002

SONIA K. LAFLAMME

# Pas de deux

Hurtubise

Catalogage avant publication de Bibliothèque et Archives nationales du Québec et Bibliothèque et Archives Canada

Laflamme, Sonia K.

    Pas de deux

    Pour les jeunes de 14 ans et plus.

    ISBN 978-2-89723-234-4

    I. Titre.

PS8573.A351P372 2013        jC843'.6        C2013-941241-7
PS9573.A351P372 2013

Sonia K. Laflamme remercie le Conseil des arts et des lettres du Québec de son appui financier pour la création de ce roman.

Les Éditions Hurtubise bénéficient du soutien financier des institutions suivantes pour leurs activités d'édition :
– Conseil des Arts du Canada ;
– Gouvernement du Canada par l'entremise du Fonds du livre du Canada (FLC) ;
– Société de développement des entreprises culturelles du Québec (SODEC) ;
– Gouvernement du Québec par l'entremise du programme de crédit d'impôt pour l'édition de livres.

Conception graphique de la couverture : René St-Amand
Illustration de la couverture : Annabelle Métayer
Mise en pages : Martel en-tête

Copyright © 2013, Éditions Hurtubise inc.

ISBN 978-2-89723-234-4 (version imprimée)
ISBN 978-2-89723-235-1 (version numérique PDF)
ISBN 978-2-89723-236-8 (version numérique ePub)

Dépôt légal : 3ᵉ trimestre 2013
Bibliothèque et Archives nationales du Québec
Bibliothèque et Archives Canada

Diffusion-distribution au Canada :    Diffusion-distribution en Europe :
Distribution HMH    Librairie du Québec/DNM
1815, avenue De Lorimier    30, rue Gay-Lussac
Montréal (Québec) H2K 3W6    75005 Paris FRANCE
www.distributionhmh.com    www.librairieduquebec.fr

*Imprimé au Canada*
**www.editionshurtubise.com**

À ma fille Stella Maris.

*On est seulement ce que l'on peut*
*On est rarement ce que l'on croit.*

*Si fragile,*
Luc De Larochellière

# 12

## *Soleá...* seule face au destin

*¿A quién le voy a contar yo*
*Lo que a mi me esta pasando ?*
*Se lo voy a contar a la tierra*
*Cuando me estén enterrando.*

**Journal de Marjorie : le 26 août...**

*Je ne fais pas le poids. Voilà comment je me sens.*

*Je ne sais plus à quel moment les choses ont commencé. Mais dans les derniers mois, elles se sont bousculées. J'ai beau essayer de freiner l'élan, de renverser la vapeur, rien ne fonctionne. Ça reste là comme une tache, comme une plaie. Au vu et au su de ceux qui m'entourent. Oh, ils sont polis ! Ils ne font aucune remarque désobligeante. Ça m'arrange. Sauf que leurs regards... ceux qu'ils m'adressent, qui détaillent ma silhouette pour ensuite se dérober quand je les surprends... Eh bien, je m'en passerais ! Ils sont sournois, ces regards. Fuyants et accusateurs. Oui, ils trahissent leurs pensées, lèvent le voile sur ce que moi je veux oublier, effacer, enlever.*

9

*Bon. D'accord. Ma métamorphose ne s'est pas produite en une seule semaine. Il y a eu des symptômes, comme dirait ma mère. Au début, ils étaient à peine visibles. Ça ressemblait davantage à des impressions. De suffoquer, d'être à l'étroit, de m'essouffler. Puis, j'ai eu droit aux révélations-chocs qui arrivent à la manière de coups de poing en pleine gueule, sans crier gare, et qui mettent un mot sur ce qui se tapit derrière les premières impressions et les rendent affreusement réalistes.*

*— Vous en êtes certaine ? m'a demandé la conseillère en vente de la boutique.*

*Je revois encore son air sceptique et ses yeux de belette. Elle a pris le pantalon sur le rayon, vérifié la taille et haussé les épaules.*

*— Comme vous voulez !*

*Elle s'est dirigée vers le salon d'essayage, a jeté le vêtement par-dessus la porte battante d'une cabine et m'a laissée en plan. Moi aussi, j'ai haussé les épaules. Qui elle était, cette grande asperge sous-alimentée, pour prétendre savoir mieux que moi quelle taille me convenait ?*

*Quand elle est revenue au bout de cinq minutes, le pantalon que je tentais d'enfiler avait arrêté son ascension à l'orée de mes fesses malgré les nombreux sauts que j'effectuais en tirant sur les ganses de la ceinture.*

*— Je vous ai apporté une taille six, a-t-elle déclaré d'une voix de stentor derrière la porte. Et une huit. Au cas où...*

*Malaise. Gros malaise. Au cube. Non, c'est un euphémisme. Je dirais à la puissance mille.*

*J'ai essayé les deux pantalons. Le miroir reflétait une image que je redoutais. J'étais incapable de parler. Je suis restée figée de stupeur. L'asperge avait vu juste.*

*La taille huit...*

*C'était il y a six mois. Vingt-six semaines. Cent quatre-vingt-trois jours.*

*Eh bien voilà, ce pantalon ne me fait plus !*

*Je suis... GROSSE. Grrr ! Fudge !*


Elle demeura immobile à vérifier l'oscillation de l'aiguille. Insatisfaite, elle s'éleva sur la pointe des pieds, effectua un demi-plié, se pencha d'un côté avant de revenir à sa position initiale. L'aiguille hésita, puis marqua encore une fois le chiffre maudit. Elle grimaça. Un demi-kilo. La moitié d'un de plus que la semaine précédente. Bah, ce n'était pas grand-chose ! Le problème, c'était qu'il s'ajoutait à ceux qu'elle avait déjà en trop.

Marjorie fixait l'aiguille d'un air ahuri. Quel aliment pouvait bien être à l'origine de ces cinq cents grammes de tissus adipeux ? Les fettucines Alfredo du souper d'anniversaire de sa mère ; la minuscule portion de gâteau au chocolat qui avait suivi ; le jus d'orange du petit-déjeuner ou la poignée de noix de cajou de la collation ?

Elle préférait de loin le statu quo du pèse-personne plutôt que son obstination à vouloir toujours fracasser de nouveaux records personnels.

11

Un demi de plus. La moitié d'un surnuméraire.

La porte s'entrouvrit. Un visage encore endormi encadré d'une épaisse chevelure ébouriffée apparut.

— Pas fini! maugréa Marjorie.

## Liste « surpoids » par Axel Fortin

- ✓ Balance.
- ✓ Déprime. Culpabilité. Remords.
- ✓ Questionnement :
- ✓ Quoi faire? Quand?
- ✓ Combien de fois? Pendant combien de temps?
- ✓ Discipline. Volonté.
- ✓ Mantras.
- ✓ Exercices. Bouger.
- ✓ Répétition.
- ✓ Mantras.
- ✓ Et maigrir. Enfin...

Marjorie lui jeta une œillade exaspérée.

— Tu te crois drôle, peut-être? Tu épuises tout le monde avec tes listes stupides, Axel!

Le garçon émit un bâillement bruyant. Depuis son entrée en première année du primaire, il avait pris l'habitude de lire à haute voix ce qui lui tombait sous les yeux. Il débitait, rapidement et sur un ton monocorde, les titres des articles du journal, les messages publicitaires dans les abribus ou sur les camions, les indications routières, les ingrédients de la boîte de céréales, l'heure au fur et à mesure que les secondes s'affichaient. Avec les années, il avait décidé de bonifier ses listes en racontant dans un style énumératif dépouillé ce qu'il ressentait, les événements qui se présentaient à lui ainsi que ses opinions. Ses amis le surnommaient «Ze List». Sa vie se résumait à peu près à ceci : dix-sept ans, pas de petite amie, étudiant au cégep, sciences humaines avec maths, ne sachant pas encore ce qu'il ferait plus tard, s'en foutait un peu.

Soudain, il écarquilla les yeux, releva le menton et renifla l'air.

— Petit-déjeuner. Café. Crêpes. Sirop d'érable. Chocolat. Énergie. Énergie. Ô énergie !

— Tes profs de français ne t'ont jamais appris que pour faire une phrase complète, ça prend un sujet, un prédicat et un complément de phrase ?

— Mes *quoi* ? prononça Axel avec un certain dégoût.

Il sortit en trombe de la salle de bain et mit le cap sur la cuisine.

— Cerveau de primate ! articula Marjorie, découragée.

L'adolescente remonta un bref instant sur le pèse-personne. L'aiguille indiqua de nouveau le nombre horrible de kilos qui l'accablait. Des crêpes ? Au chocolat ? Avec du sirop d'érable ? L'anniversaire de sa mère semblait se poursuivre ce matin-là. Pas question d'encourager cinq cents grammes de graisse indésirable à s'installer à demeure! Pas question qu'ils en invitent d'autres à la fête!

Lorsque l'adolescente passa devant la cuisine sans s'arrêter, sa mère la héla:

— Crêpe au chocolat, ma grande?

Marjorie se mordilla la lèvre inférieure. Elle secoua la tête pour évacuer de sa pensée l'image séduisante de la pâte sucrée.

— Pas le temps! répondit-elle en attrapant une écharpe vaporeuse. Je dois aller au studio.

— Raison de plus, insista sa mère. Ça te prend quelque chose dans l'estomac.

La jeune fille hésita. Son regard s'attarda sur la table dressée pour le petit-déjeuner.

## L'importance de bien manger le matin
### par Caroline Saint-Gelais

Les jeunes qui prennent chaque matin un petit-déjeuner équilibré affichent de meilleures performances tant scolaires que sportives, selon les informations et les statistiques lues ici et là dans les revues trouvées dans les salles d'attente de la coiffeuse, du dentiste et du médecin de famille. Le petit-déjeuner est sans contredit le repas le plus important de la journée. Après toute une nuit de sommeil et de jeûne, il contribue à refaire le plein d'énergie. Sauter le petit-déjeuner ne favorise pas la perte de poids, car cela expose les gens aux baisses glycémiques qui, elles, provoquent des fringales soudaines et sucrées, sans compter la possibilité d'accroître les carences en fer, en calcium et en vitamine D, surtout chez les filles. De plus, la prise régulière d'un petit-déjeuner équilibré a aussi un impact positif significatif sur l'endurance, la concentration, la mémorisation, les résultats scolaires et la santé à long terme.

— Maman, soupira Marjorie. Je n'ai pas le temps…

Quand son frère ne la contrariait pas, sa mère prenait la relève avec ses exposés informatifs!

— Ce n'est pas une raison et tu le sais très bien!

Caroline Saint-Gelais venait de franchir le cap de la quarantaine. Travailleuse autonome dans le secteur de l'édition, c'était une femme anxieuse qui habillait ses atermoiements de statistiques et d'affirmations vues, lues ou entendues dans les médias. Ses enfants la surnommaient «Reader's Digest», car avec elle, la vie devenait ni plus ni moins qu'une sorte de résumés de faits et de données statistiques qui ressemblaient tantôt à des avertissements déguisés, tantôt à des avis copiés sur ceux de l'opinion publique.

Les deux poings sur les hanches, la femme attendit que sa fille s'assoie. Celle-ci enroula son écharpe autour de son cou. Du bout du menton, elle avisa le panier de fruits.

— Tu me lances une pomme, Axel?

— Ce n'est pas suffisant! s'indigna sa mère.

— Je suis en retard, plaida Marjorie.

— Tu sais ce que je pense, hein ?

— Oui, maman. Je l'ai entendu, ton prêchi-prêcha.

Elle attrapa au vol le fruit rouge que lui envoya son frère et quitta le condo. La mère se gratta l'oreille. Elle avait hâte que son mari revienne de sa formation à l'étranger et que l'autorité règne de nouveau chez elle.

— Mère découragée, commenta Axel. Soucieuse. Stressée. Stressante.

— S'il te plaît, tu veux m'épargner tes listes à n'en plus finir ?

Il baissa la tête vers son assiette et piqua de sa fourchette un morceau de crêpe roulée.

— Ta sœur a changé. Tu ne trouves pas ?

## Liste « Ados » par Axel Fortin

- ✓ Adolescence.
- ✓ Puberté. Hormones. Crise d'identité.
- ✓ Pression du groupe. Désir d'appartenance. Volonté de se démarquer.
- ✓ Affect affecté. Psychose circonstancielle.
- ✓ Conflits à l'horizon...

— Retour à la normale dans quelques années…, prédit-il en guise de conclusion, tout en continuant de manger.

Caroline le considéra, médusée. Il avait déblatéré sa liste d'un trait, sans reprendre son souffle, sans afficher d'émotion, comme si ce jugement lapidaire, sans doute proche de la réalité, coulait de source.

— Tu as l'air de t'y connaître, ma foi! se moquat-elle. Et elle est terminée, ta crise d'adolescence à toi?

Axel se contenta d'émettre un rire tonitruant avant d'avaler le reste de sa crêpe au chocolat.

— N'empêche, reprit Caroline. Jo n'est plus comme avant.

— Normal.

— Je m'inquiète.

— Normal.

— Axel? lui dit-elle d'un air réprobateur. Tu recommences, là.

Quand son fils aîné ne se cantonnait pas dans des listes énumératives, il optait en guise de conversation pour un seul mot qu'il répétait souvent à la manière d'un mantra.

— Moi aussi, je suis normal. Presque normal. Parfois, j'ai l'impression que tu es née adulte, tu sais.

Caroline Saint-Gelais fit la moue. Elle devina que derrière ces quelques mots alignés correctement, il lui reprochait d'être trop souvent sérieuse. Son fils avait raison. Elle oubliait qu'elle avait ellemême traversé l'adolescence en récoltant deux ou trois ennuis au passage. Et elle s'en était tirée. Pour Marjorie aussi, tout finirait par rentrer dans l'ordre. Mais quand?

Une taille dix, ça ne se cache pas facilement malgré les tuniques retombant sur les hanches ou les chandails amples. En fait, une taille dix, ce n'est pas dramatique. Sauf pour une adolescente qui adore le ballet et qui souhaite un jour devenir première danseuse. Les mensurations prennent alors une tout autre importance. Si elles correspondent aux critères du domaine, elles rendent les rêves possibles; dans le cas contraire, elles les brisent.

Marjorie mit dans son sac fourre-tout son cahier d'exercices et ses notes de français, puis referma son casier. Elle pivota d'un quart de tour, prête pour le prochain cours, lorsqu'elle stoppa net son élan. La première cloche avait sonné un instant plus tôt. Pourtant, des élèves traînaient encore dans l'allée. Et tout au bout, elle la vit.

Béatrice Demers glissait d'un pas aérien. Elle louvoyait avec grâce entre ses camarades et distribuait ses sourires. Sa chevelure blonde flottait derrière elle. Son corps menu et ses vêtements cintrés attirèrent l'attention des garçons qui saluèrent l'adolescente.

Marjorie ressentit un pincement au cœur. Une taille quatre, ne put-elle s'empêcher de penser en la voyant approcher. La même que celle qu'elle affichait à peine un an plus tôt. Encore une fois, la jalousie la piqua. Pourquoi les choses changeaient-elles parfois de façon si abrupte? Pourquoi ne pouvaient-elles pas revenir en arrière? Pourquoi les diètes protéinée, méditerranéenne ou celle de Jennifer Lopez et des autres stars ne fonctionnaient-elles pas avec elle?

— La vie est injuste…, souffla-t-elle. Tellement.

Béatrice heurta le bras d'un élève et échappa ses livres par terre. Aussitôt, trois garçons s'empressèrent de l'aider. Elle les laissa faire, sourire aux lèvres. Marjorie leva les yeux vers le néon qui éclairait l'allée de casiers, convaincue que sa camarade l'avait fait exprès.

— Salut, Jo! lança Béatrice après avoir récupéré ses effets.

Marjorie détourna la tête pour refermer son cadenas.

— Tu viens au cours, ce soir?

Les deux adolescentes se dévisagèrent, l'une malicieuse, l'autre sur la défensive.

— Qu'est-ce que tu crois? rétorqua Marjorie. Simone va nous parler de sa nouvelle chorégraphie. Il paraît qu'elle a créé un rôle de soliste et que…

Béatrice reluqua d'un air hautain les vêtements amples de celle qui se tenait devant elle.

— Je ne crois pas que tu l'auras, affirma-t-elle avec conviction.

Marjorie ouvrit la bouche pour répliquer, mais sa rivale s'éloignait déjà. Elle la rattrapa en trois enjambées.

— Qu'est-ce que tu veux dire ? s'emporta-t-elle. Que tu es meilleure que moi ?

— Il va falloir que tu t'y fasses, Jo. Les tutus, ça ne te va plus !

Sur ces mots, Béatrice disparut pour de bon. La deuxième cloche sonna. Les élèves se précipitèrent dans leurs locaux. Plantée au milieu de l'allée, Marjorie se fit bousculer par les retardataires. Des larmes inondèrent ses prunelles. Pour la première fois depuis des mois, on lui parlait ouvertement de son poids. Elle avait voulu régler le problème au cours de l'été, en multipliant ses séances de ballet classique dans un petit studio près de chez elle. Si les kilos avaient presque stoppé leur course effrénée, l'adolescente n'en avait hélas perdu aucun.

Un sifflement retentit entre les casiers. Un surveillant effectuait sa ronde à la recherche des lambins. Marjorie sortit de sa léthargie. Elle s'élança et, tournant vers la gauche au bout de l'allée, elle frappa quelqu'un. Elle se retrouva dans les bras de Thomas Legault.

— Ah, c'est toi, constata-t-il, heureux de ne pas tomber sur le surveillant.

— Eh oui!

Les deux jeunes se sourirent. Le temps se figea. Le sifflement avait cessé. L'école avait disparu. Plus rien n'existait en dehors d'eux.

— Alors, tu as passé un bel été?

— Cool, les vacances au lac. Et toi?

— J'ai dansé presque tous les jours.

— Cool. Allez, viens avant qu'on nous colle un billet.

Marjorie s'en fichait. Retrouver Thomas, pouvoir lui parler sans le brouhaha des pauses entre les cours, ça valait tout l'or du monde. Devait-elle lui dire qu'après leur timide baiser lors des feux d'artifice de la Saint-Jean-Baptiste, elle n'avait pas arrêté de penser à lui?

Il lui prit la main et l'entraîna vers l'escalier principal. Là, ils croisèrent Béatrice en train de se faire sermonner par un surveillant.

— Tiens! s'exclama celui-ci. En voilà-ti pas deux autres!

Béatrice ignora Marjorie. Elle n'avait d'yeux que pour Thomas.

— Vous commencez mal l'année! les tança l'employé de l'école. Début des cours à huit heures trente-cinq, compris? Pas trente-huit!

Les jeunes opinèrent en silence.

— Je ferme les yeux, mais que je ne vous y reprenne plus!

— Merci, monsieur Fiset, dit Béatrice, mielleuse.

— Allez, ouste! leur ordonna-t-il en balayant l'air devant lui.

Les trois élèves montèrent l'escalier à toute vitesse. Au troisième étage, ils consultèrent leur horaire.

— Local 347, annonça Marjorie dans l'espoir que Thomas soit dans la même classe.

— 349, lui répondit-il, un peu déçu.

— Oh, moi aussi! s'extasia Béatrice en se rapprochant davantage du garçon.

— Cool, échappa Thomas.

Elle se colla contre lui et ils marchèrent ensemble vers le local. Marjorie grimaça. Sa rivale venait de lui gâcher ses retrouvailles avec l'élu de son cœur. Avant de franchir la porte qui donnait sur le cours de français, elle jeta un dernier coup d'œil en direction des deux autres retardataires.

Thomas se retourna aussi vers elle, soudain impassible et immobile. Les secondes s'égrenèrent.

— Monsieur Legault! l'appela une voix excédée. Nous ferez-vous la grâce de votre présence, oui?

Thomas finit par lever le bras pour saisir la poignée et, sans un salut ou un quelconque signe de tête à l'intention de Marjorie, referma la porte du local de mathématiques.

En retard. Comme toujours. Autrefois, c'était involontaire. Maintenant, elle y prenait goût. Elle cultivait ces instants où elle arrivait la dernière et se plaçait près de la porte sans attirer l'attention. Tout pour ne pas se retrouver en petite tenue, dans le vestiaire, parmi les autres ballerines au corps parfait. Elle ne souhaitait pas subir les comparaisons silencieuses. Elle préférait se préparer seule et attendre que les premières notes du piano accompagnent les exercices de réchauffement pour faire discrètement son entrée.

Comme elle l'avait espéré, personne ne se retourna pour la saluer. Pas même Simone Bouvier, le professeur de ballet. Celle-ci était si autoritaire qu'elle n'acceptait aucune entorse à la discipline. Quand le cours était commencé, fini le bavardage. Les filles devaient s'y plier et se concentrer. Sinon gare aux sermons!

Après le réchauffement, les ronds de jambes, jetés, sauts et ports de bras, la classe se poursuivit avec quelques pirouettes. Les danseuses se positionnèrent dans un coin du studio et défilèrent en diagonale, en se rapprochant du miroir.

— Un et deux et trois... tête haute, commenta Simone en battant la mesure. Et cinq et six... épaules basses. Et huit et un... fesses serrées. Et trois... allez, on pointe les pieds!

Le professeur émit des commentaires sur le maintien de chaque fille. Toutes y eurent droit, même

Béatrice Demers. Toutes. Sauf Marjorie. Pourquoi ? Son exécution était-elle parfaite ? Elle voulait le croire pour mieux clouer le bec à celle qui l'avait insultée au début de la journée, dans l'allée de casiers.

En fait, quelque chose de pire se déroulait à son insu. Non seulement Simone ne la critiquait pas, mais elle ne la regardait pas. Lorsque Marjorie en prit conscience, elle perdit de vue le repère qui servait d'ancrage à l'alignement de ses pirouettes, et fit un pas de côté, ce qui provoqua un déséquilibre et brisa la ligne droite créée par les danseuses. Le professeur frappa dans les mains. Le pianiste suspendit sa mélodie. Simone s'approcha de la jeune fille. Son regard dur et implacable s'attacha à l'adolescente. Elle tendit la main et lui pinça la peau, sur la hanche.

— C'est quoi, ça ?

Les filles retinrent leur souffle. Marjorie sentit qu'elle venait de se hasarder trop près du bord de la falaise. On l'avait laissée faire pendant des mois, sans la critiquer publiquement. Elle devait désormais se justifier.

— Réponds ! martela Simone en intensifiant son pincement.

La nervosité étrangla l'adolescente.

— Je ne veux plus voir ça dans deux semaines. Compris ?

— Deux sem…, bégaya Marjorie, incrédule. Mais…

Comment pourrait-elle parvenir aussi vite à faire fondre le tissu de graisse, elle qui n'avait rien pu faire au cours de l'été?

## Manifeste de la discipline selon Simone Bouvier

Si tu n'as aucune volonté,

Si tu n'as aucune discipline,

Si tu ne peux consentir aucun sacrifice,

Si tu ne peux te rendre compte par toi-même de ce qui est inacceptable,

Si tu as besoin que ton professeur te botte les fesses pour que tu avances,

Si la danse ne représente pas TOUT à tes yeux,

Si tu méprises ton Art,

Alors, tu ne mérites pas de le pratiquer!

Devant la harangue acerbe et sans appel, la danseuse baissa la tête, la honte collée au front. Plusieurs l'imitèrent, de peur que les reproches fusent ensuite dans leur direction.

Le professeur de ballet claqua des doigts, et la musique reprit. D'un signe de la main, elle invita les filles à poursuivre leurs pirouettes.

— ... et cinq et six et sept... Allez, du tonus! De la grâce! Je distribuerai les rôles ce soir!

Marjorie écrasa la larme qui glissait sur sa joue. Elle bomba la poitrine, serra les fesses et traversa le studio en tournoyant.

— C'est drôle, ironisa Simone sans la moindre compassion. J'ai enseigné à une autre fille qui s'appelait Marjorie, il y a trois ou quatre ans. Elle aussi, chaque fois que je lui disais quelque chose, elle se mettait à chialer. Mêmes prénoms, mêmes défauts… La numérologie est fondée, faut croire. Allez, assez perdu de temps ! Tout le monde à la barre !

Les danseuses obéirent sans rouspéter. Marjorie se mit à trembler. Ses larmes affluèrent de plus belle, si bien qu'elle ne réussit à n'en contenir aucune. Pire, un sanglot la fit hoqueter. Elle chercha de l'aide. Ses camarades et son professeur l'ignorèrent, prêtes à entreprendre de nouveaux exercices. Dévastée, seule face au mépris de Simone et à l'indifférence des danseuses, elle tourna les talons et s'en alla.

Le regard de Béatrice Demers dévia du chignon de l'élève placée devant elle pour glisser vers l'immense miroir. Grâce au reflet, elle vit sa rivale sortir du studio, les épaules voûtées par la peine et les reproches. Au même moment, Simone s'approcha de la barre et posa sa main sur l'épaule de Béatrice. La pression était légère. Le geste ne dura que quelques secondes.

Venait-elle d'être bénie par la grande prêtresse ? La danseuse reporta son regard droit devant elle et sourit.

## Slam de Béa

*Le vent souffle,*
*Il époustoufle*
*Et la pouf*
*Tombe dans sa bouffe.*
*Patapouf!*
*La pantoufle,*
*Elle creuse son gouffre.*
*Le vent souffle*
*et on fait ouf!*

Les filles se mirent à rire de ce poème craché avec ironie par la délicate Béatrice. Elles adoraient quand la ballerine en tutu et chaussons empruntait la gestuelle des slameurs.

— Grand Corps Malade et Jo n'ont qu'à aller se rhabiller. Tu es cool, Béa! Pour une fois que ce n'est pas la Fortin qui en profite, commenta l'une des ballerines en regagnant le vestiaire.

Le lieu s'emplit des gloussements de ses compagnes qui la félicitèrent à tour de rôle.

Oui, le vent soufflait. Il tournait et venait de décoiffer Marjorie, de la détrôner, elle à qui Simone Bouvier avait jusqu'alors toujours offert les premiers rôles de ses créations chorégraphiques. La chouchoute partie, ses compagnes pouvaient désormais rêver et aspirer à prendre un jour sa place.

En route vers la maison, Marjorie pleurait à chaudes larmes. À travers l'écran de sa tristesse, elle avançait d'un pas d'automate. Éperdue, elle distinguait à peine ce qui l'entourait.

Son univers venait de s'écrouler. Une grande partie de ses rêves aussi. Pourtant, la fin d'une aventure marque souvent le commencement d'une autre, une voie qui s'ouvre sur quelque chose de nouveau, de différent, d'inattendu… Mais cela, elle l'ignorait encore.

# 1

## *Siguiriya*… le poids de la fatalité

*A llorar mis penas
Me fui a un olivar.
Olivarito mas ensangrentado
Ni lo hay ni lo habra.*

**Journal de Marjorie : le 2 septembre...**

*Je déteste les comparaisons. Je hais les accusations publiques.*

*Pourquoi les profs s'en prennent-ils aux élèves de cette façon ? Pourquoi se servent-ils des camarades de classe pour en faire leurs témoins muets (qui ne dit mot consent) et pour augmenter leur sentiment de pouvoir sur leur victime ? Pensent-ils que ça va nous motiver à les écouter, à faire nos devoirs, à les respecter ou encore à apprécier davantage la matière ? NON ! Si un de leurs collègues en faisait autant, dans la salle des profs, ils seraient les premiers à crier au scandale et à exiger que leur syndicat dépose un grief illico. Mais nous, on n'a aucun recours. Alors, on se la ferme, on avale notre pilule et on les maudit en silence.*

*Toutes les filles du ballet savent que je suis grosse. Un seul coup d'œil suffit à le voir. Ce n'est pas nécessaire d'en rajouter, de m'humilier, de creuser encore plus profondément mon désarroi.*

*Deux semaines ? Deux petites semaines pour perdre quoi... au moins deux tailles ? C'est du suicide. Mission carrément impossible. Simone ne sait pas de quoi elle parle. Aussi bien arrêter de manger ! Et je fais quoi pour vivre, pour ne pas tomber sans connaissance, pour conserver un tant soit peu de force, d'énergie ? Des plans pour que « Reader's Digest » pète sa coche.*

*C'est bien la première fois que je veux perdre quelque chose. Manger moins, bouger plus... Ça me rappelle les paroles de « Ze List ». Je n'y arriverai pas. Je peux fondre d'un ou deux kilos, mais ce ne sera pas suffisant aux yeux de Simone. Je le sais.*

*Qui perd gagne... Chocolat ! Je ressens une furieuse envie de mordre.*

*Le ballet classique représente toute ma vie. Je danse depuis l'âge de cinq ans. Je prends des cours trois fois par semaine. Je loue même un studio pour m'entraîner les week-ends. Je dépense mon argent de poche en maillots, collants, jupettes et chaussons. Je m'endors en écoutant du Stravinski. Je fais des exercices de souplesse dès que je mets les pieds au bas du lit. Dans l'autobus, je me repasse mentalement les enchaînements chorégraphiques. Presque à chaque seconde de ma vie, mes pensées sont tournées vers le ballet.*

*Que me reste-t-il d'autre ? Que vais-je devenir si mon corps ne m'obéit plus, s'il ne fait plus de moi la ballerine* idéale ? Je savais que la carrière des danseuses était courte, mais pas à ce point-là. J'ai juste quinze ans, mais j'ai surtout plein de kilos en trop.

Le pire dans cette histoire, c'est que je suis une des meilleures élèves. Même avec un surplus de poids. Souplesse, grâce, émotion, excellente mémoire, bon sens du rythme... À quoi ça va me servir maintenant ? Jamais Simone ne m'a parlé comme elle l'a fait. Au contraire, les filles prétendaient que j'étais sa préférée. Elle avait l'habitude de m'encourager avec de discrets signes de la tête, des clins d'œil ou des petites tapes sur l'épaule. Pourquoi un tel changement d'attitude ? Parce que je peux en faire davantage ? Parce que j'ai du talent ? Pfft !

Peu importent les raisons de mon humiliation. Je ne le prends pas. Je ne le mérite pas. Je n'y retournerai pas. Je n'y retournerai pas. Je n'y retournerai pas ! Pas là ni ailleurs. Ça reviendrait au même. Ça risquerait d'être pire avec un prof qui ne me connaît pas. Avec mon poids, je deviendrais encore une fois un bouc émissaire.

Je ne pensais pas que ça s'arrêterait de façon aussi poche. Rien ne se compare, rien ne peut égaler le bonheur d'un premier rôle. Sentir le regard des spectateurs se river à moi quand je multiplie les bonds, pirouette à l'infini et exécute les arabesques les plus belles avant d'entendre leurs applaudissements et leurs vivats. Je ne revivrai plus jamais cet état de grâce, car aucun chorégraphe ne confie de solo à une grosse. À moins que ce soit pour un numéro de cirque !

Il reste donc l'école. Je veux dire qu'il y a Thomas, ma deuxième passion. Désormais la seule et unique. J'aimerais

31

*tant qu'il me prenne dans ses bras… Avec lui, je finirais peut-*
*être par oublier que je ne fais plus le poids.*

L'aiguille du pèse-personne grimpait et cha-
touillait les poussières de grammes menant au kilo
suivant.

Non, elle ne se résignait pas à retourner à l'école
de ballet. Pourquoi le ferait-elle ? Pour subir une
fois de plus le mépris de Simone Bouvier, pour
endurer le regard traître des jalouses compulsives ?
C'était au-dessus de ses forces.

— Tu montes là-dessus combien de fois par jour,
Jo ?

Marjorie tourna la tête vers sa mère. Elle haussa
les épaules d'un air morne.

— Je ne sais pas trop.

Ce qui signifiait, en d'autres mots, beaucoup
trop. Caroline s'approcha. Elle eut envie de pousser
sa fille, d'attraper le pèse-personne et de le jeter par
la fenêtre. Le poids de Marjorie, quoique assez
stable, était devenu une véritable obsession. Elle se
pesait à jeun, après la première urine du matin,
pour avoir l'heure juste. Puis après chaque repas.
Avec une ultime pesée avant d'aller au lit. Au cours
des derniers mois, elle avait remarqué que si elle
prenait un peu moins d'un kilo le jour, elle le
perdait toujours pendant la nuit. Son objectif

consistait donc à terminer la journée au même poids que celui enregistré le matin afin de soumettre l'aiguille maudite à sa volonté et d'enfin la voir régresser. Mais cela n'arrivait hélas jamais.

— Je n'irai plus au ballet, annonça-t-elle.

— Ah non? s'étonna sa mère. Pourquoi?

La jeune fille hésita. Devait-elle dévoiler le terrible ultimatum proféré par son professeur de danse?

— Ce n'est pas à cause de ça, j'espère? s'informa la femme en montrant du doigt le pèse-personne.

Marjorie se contenta de fixer ses orteils nus. Elle était soulagée que sa mère ne la contraigne pas à expliquer son désarroi.

## Le poids des adolescentes
### par Caroline Saint-Gelais

À l'adolescence, les jeunes filles vivent de profonds bouleversements hormonaux. L'AMIe, l'Association des Mères Inquiètes, rappelle qu'à la puberté le corps ne fait pas que grandir en hauteur. Les formes changent: les hanches s'élargissent et les seins se développent, entre autres choses. L'une des deux hormones sexuelles, soit l'œstrogène, emmagasine de la graisse à des endroits ciblés: le ventre, les hanches, les cuisses et les fesses. Cette graisse est essentielle chez la femme puisqu'elle représente vingt-cinq pour cent du poids du corps. De plus, elle sert de réserve naturelle d'énergie. À la puberté, lorsque les ovaires synthétisent les estrogènes, le corps des jeunes filles se transforme pour ressembler à celui des femmes. Lors de cette étape charnière de la vie, la prise de poids est donc inévitable.

— Tu auras beau me dire n'importe quoi, maman, tu sais, genre que c'est normal et que ça arrive à plein de filles, sauf que tes constats froids et dépourvus de sentiments, eh bien, ils ne me consolent pas. Même s'ils sont vrais.

Caroline déglutit avec difficulté. Sa fille se permettait pour une rare fois de porter un jugement sur sa façon particulière de s'exprimer. La femme s'en voulut de ne pas avoir les bons mots et de se rabattre sur ceux des autres. Elle n'était pas une mauvaise mère. Elle était seulement un peu maladroite.

— Je suis dans la vraie vie, moi, reprit l'adolescente. Avec un véritable problème de poids, et je dois apprendre à le gérer. Je ne suis pas dans un de tes magazines qui noircissent des colonnes juste pour avoir l'air de dire quelque chose ou encore pour justifier leur prix exorbitant.

— Pardonne-moi, chérie.

Elle approcha et enveloppa sa fille de ses bras. Elle la berça avec une infinie tendresse. L'aiguille du pèse-personne n'arrêtait pas d'osciller.

— Je ne suis pas parfaite, se défendit la mère. Il n'y a pas de manuel pour apprendre comment agir en telle ou telle circonstance. La vie est empirique.

Elle est faite d'expériences, d'essais et d'erreurs. Ça me stresse. Tu ne peux pas savoir à quel point.

Marjorie lui sourit.

— Je t'aime mieux comme ça… sans stats et sans résultats d'enquête.

— D'accord. Je vais essayer de ne plus recommencer.

Marjorie marchait la tête dans les épaules. Deux semaines… Elle pensait sans cesse aux paroles blessantes de son professeur de ballet. Simone devait ignorer que la puberté était un gros – c'était le cas de le dire – paquet de problèmes.

Elle avait désormais des hanches plus rondes. Elle était à l'étroit dans ses jeans. Ses seins rebondissaient quand elle courait derrière l'autobus. Sa silhouette ressemblait à celle d'une poire.

— Réglisse noire que c'est injuste!

Sa prise de poids avait beau paraître normale aux yeux de sa mère, Marjorie ne comprenait pas comment elle réussissait à engranger autant de kilos. Personne dans sa famille n'était obèse et elle dansait plusieurs fois par semaine. Pire, ses rendez-vous avec la nutritionniste de la polyclinique médicale n'avaient rien donné.

Le temps? Il risquait d'arranger les choses, comme on dit. Sauf que Marjorie n'avait que deux semaines.

Dans sa tête, dans son cœur, tout revenait à cette quinzaine de jours de mission impossible. Deux semaines pour anéantir encore plus ses espoirs. Car elle se connaissait. L'angoisse provoquée par une autre diète, la pression imposée par Simone et l'obsession maladive de maigrir ne deviendraient pas ses meilleurs alliés. Elle allait grossir encore plus facilement.

À chaque pas qu'elle faisait en direction de l'école, elle avait l'impression de caler, de s'enfoncer dans le sol. Le poids de la fatalité courbait son échine, fléchissait ses genoux.

Son iPhone tinta. Un texto venait d'apparaître à l'écran. Clara, une copine du ballet, voulait prendre de ses nouvelles.

> Allô, ça va ?

> Bof...

> C poche cki arrive.

> Alors pourkoi t'as pas rien dit ?

> Tu dis pas grand-choz toi non + ken ça arrive aux autres !

Clara venait de marquer un point. Marjorie sentit ses épaules s'affaisser davantage. Elle avait formulé un reproche, un peu pour se venger, et il lui retombait dessus.

La conversation se poursuivit.

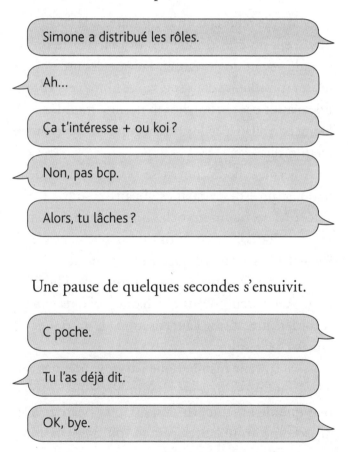

Simone a distribué les rôles.

Ah...

Ça t'intéresse + ou koi ?

Non, pas bcp.

Alors, tu lâches ?

Une pause de quelques secondes s'ensuivit.

C poche.

Tu l'as déjà dit.

OK, bye.

Marjorie s'apprêtait à fermer son appareil quand un nouveau message s'afficha.

> C Béa ki l'a eu.

Marjorie relut la dernière phrase. Elle vacilla. Le pire scénario catastrophe des prophéties de fin du monde venait de se réaliser. Le vase débordait. Elle fourra son iPhone dans son sac et fonça vers l'école. Elle n'avait pas encore dit son dernier mot. Béatrice Demers n'allait pas lui ravir ce qui lui revenait de plein droit.

À l'école, elle découvrit sa rivale en train de se pavaner près des vestiaires. Béatrice souriait à la volée ; Marjorie lui décocha une œillade assassine. La nouvelle soliste comprit que sa rivale savait.

— Tu l'as eu parce que… parce que…

Marjorie ne parvenait pas à prononcer l'horrible mot. À ses yeux, le dire à haute voix revenait à accorder aux autres l'autorisation de la traiter de grosse par la suite.

— Si tu veux insinuer que j'ai eu le premier rôle parce que tu es devenue bouboule, alors ce n'est rien que de ta faute, tu sais, attaqua Béatrice avec un aplomb troublant. C'est toi qui tiens ta fourchette. Je n'ai rien à voir là-dedans, moi.

La danseuse déchue cligna des yeux au prononcé de la sentence.

— Tu es pathétique, poursuivit la nouvelle soliste de Simone. Tellement égoïste et égocentrique! Au lieu de te prendre en main, tu accuses les autres. Ça ne t'effleure même pas l'esprit qu'une autre personne puisse mériter ce rôle à ta place et qu'il y a plein de filles qui dansent super bien. Réveille! Tu n'es pas toute seule sur la planète ballet!

Tétanisée par la dureté des propos, Marjorie n'offrit aucune riposte. Alors, sa rivale pivota et, entourée de quelques camarades de classe, fila vers le premier cours de la journée.

## Journal de Marjorie : suite du 2 septembre…

*Girafe! Je voudrais bien la voir à ma place, la Demers! Et puis, au fait, elle a le même âge que moi, alors pourquoi ses foutues hormones estrogènes ne stockent pas de la graisse jusque sous ses ongles d'orteils ou ses paupières, hein? Des seins? Des hanches? Un ventre? Des fesses? Où ça?! Je ne vois rien parce qu'il n'y a rien à voir. Fudge! On ne le dit pas, ça, dans les revues et les magazines, que l'estrogène est une hormone élitiste. Non, je n'ai lu ça nulle part. Et ma mère non plus, j'en suis persuadée. À moins qu'elle ait voulu m'épargner… N'empêche que la puberté n'a pas de prise sur la Demers. Elle attire tous les regards. Même ceux des gars que je croyais un peu intelligents. Pire, Simone Bouvier l'aime!*

*Et puis moi, égoïste et égocentrique ? Quel toupet ! Je suis réaliste. Nuance ! C'est moi la meilleure du groupe. C'est moi qui aurais dû décrocher ce rôle !*

*Sauf que je suis partie... j'ai quitté le cours... j'ai ouvert la porte... j'ai permis à quelqu'un d'autre d'en profiter... de prendre ma place.*

*Chocolat ! La girafe a raison. Ce qui m'arrive est ma faute. Être l'artisan de son propre malheur et s'en rendre compte, ça fesse ! Fesse... Pfft !*

*Me prendre en main. Avec ma fourchette. Ça fait si mal qu'il faudra me ramasser à la petite cuillère.*

Elle ne parvenait pas à détacher les yeux du numéro de téléphone qu'elle venait de composer. Son pouce gauche, au-dessus de la touche *talk*, ne se résignait pas à l'enfoncer.

— Advienne que pourra…, murmura Marjorie.

Un bip résonna, suivi de la composition du numéro de téléphone. Le répondeur s'enclencha à la première sonnerie. Pas de chance ! Elle rompit la communication sans laisser un échantillon de sa voix inquiète, sans demander que Thomas Legault la rappelle.

Elle posa l'appareil sans fil sur son socle, se leva et alla à la salle de bain. Elle s'aspergea le visage d'eau froide, puis avisa le pèse-personne du coin de l'œil. Elle n'éprouva aucune envie de grimper dessus pour connaître son poids. Elle ressentit plutôt le besoin viscéral de catapulter à bout de bras cet objet qui la plongeait chaque jour dans la frustration, qui lui renvoyait sans cesse au visage son incapacité à changer le cours de son destin.

« C'est toi qui tiens ta fourchette… »

Les paroles de Béatrice Demers n'arrêtaient pas de tourner dans son esprit troublé. Était-ce si simple de garder l'ustensile sur la table, à côté de l'assiette, et de ne rien avaler ?

Marjorie aimait manger et cuisiner. Il lui arrivait de temps à autre de sauter un repas, surtout le petit-déjeuner, mais jamais plus. Elle équilibrait ses repas avec soin, se composait de petites portions. Elle se servait un dessert à l'occasion. Elle refusait d'envisager de manger moins. Quant à faire davantage d'activités physiques, elle ne voyait pas comment s'y prendre sans nuire à ses études.

— Je suis peut-être faite comme ça…, se dit-elle devant le miroir.

Le miroir… Il représentait un autre objet qu'elle avait fini par craindre.

Elle se mira longtemps, tourna un peu sur elle-même, lissa la courbe de ses hanches, se tâta les fesses. De profil, elle pouvait distinguer la rondeur de son ventre.

Non, une taille dix, ce n'était pas si catastrophique que ça. Il y avait plusieurs filles à l'école qui affichaient bien plus de kilos qu'elle et des bourrelets encore moins gracieux. Cependant, aucune n'envisageait sérieusement une carrière en ballet classique.

Les jours filaient. L'été tirait sa révérence. Le feuillage des arbres se colorait. Le soleil se faisait moins généreux. L'air fraîchissait.

Marjorie n'était pas retournée à l'école de danse de Simone Bouvier. En fait, son désespoir l'asphyxiait au point où elle avait cessé toute activité. Elle se contentait d'aller à l'école, de faire ses devoirs, de gribouiller dans son journal intime et de ressasser le passé. Le résultat de sa soudaine inertie se matérialisa sous la forme de deux kilos. Résignée, elle ne fréquentait plus le pèse-personne. Elle avait fini par croire qu'elle ne pouvait rien contre le mauvais sort jeté par ses hormones.

Avec ce corps qui continuait de s'envelopper, elle n'osait faire les premiers pas vers Thomas Legault, le beau cinéaste en herbe. Toujours entouré d'amis ou de coéquipiers du soccer, il la saluait de loin, d'un petit signe du menton. La plupart du temps, il semblait trop occupé pour la voir au cœur de la cohue.

Marjorie se raccrochait au souvenir de ce lointain baiser de fin d'année qui mettait un peu de douceur dans sa vie.

— Pas encore prête?

Sa mère se pencha au-dessus de son épaule et l'adolescente referma son journal intime.

— Ça ne me dit rien, tu sais.

— Ça va te changer les idées.

Marjorie en doutait. La seule personne au monde qui aurait pu y parvenir n'allait pas être là. Alors à quoi bon? se demanda-t-elle.

## Les meilleurs remèdes contre la déprime
### par Caroline Saint-Gelais

D'après les témoignages de plusieurs personnes atteintes de déprime, le meilleur moyen d'y remédier est d'éviter l'isolement, de cesser d'être négatif, de bouger et de rester actif, d'adopter de nouvelles habitudes positives...

— Stop, maman!

— Pardonne-moi... mais ça dure depuis presque un mois. Tu n'es plus que l'ombre de toi-même, Jo. Je ne te reconnais plus.

La jeune fille soupira. Ses vêtements posés sur son lit semblaient la narguer. Elle n'avait pas envie de célébrer le départ à la retraite de son grand-père. Les invités, surtout des collègues de travail du nouveau retraité, seraient pour la plupart vieux et parleraient, elle en était convaincue, de choses inintéressantes. Elle aurait droit aux souvenirs nostalgiques du bon vieux temps et aux blagues pas drôles du tout pour une jeune fille de son âge.

— Ça lui ferait tellement plaisir, insista sa mère.

— Je sais.

— Et si je te prêtais un peu de maquillage ?

— Et si tu me faisais des tresses françaises, un coup parti ?

Caroline Saint-Gelais esquissa un petit sourire coupable.

— Je n'ai plus huit ans, maman !

— Désolée. Je l'oublie, parfois… Mais moi, me mettre sur mon trente-six, ça me remonte le moral.

Le restaurant avait une enseigne discrète sur laquelle, au-dessus du nom *Las Bodegas del Súr*, trônait la silhouette inclinée d'une bouteille de vin. Il s'agissait du resto préféré du grand-père de Marjorie depuis qu'il avait visité le sud de l'Espagne, deux ans plus tôt.

Les clients entraient par une porte vitrée pour descendre aussitôt au sous-sol en empruntant un étroit escalier de bois. Là, une ancienne cave à vin au plafond voûté et aux murs de pierre servait de salle à manger. Une serveuse leur assigna une table pour une douzaine de personnes près d'une petite estrade décorée de vieilles affiches de corridas et de célébrations de la semaine sainte. Par-delà les éclats de voix des clients et le choc des assiettes et des ustensiles, une musique enregistrée donnait un avant-goût de l'Andalousie et de son métissage culturel.

Marjorie s'assit près de sa mère, dos à la scène. Elle détailla sans réel intérêt le restaurant, puis consulta le menu afin de se soustraire à la discussion qui tournait déjà autour des projets de retraite de son grand-père.

— J'aurais dû rester dans ma chambre..., maugréa-t-elle.

— Je t'ai entendue, Jo, lui reprocha gentiment sa mère.

La jeune fille referma la carte. Elle ne comprenait rien aux mets présentés en espagnol.

La serveuse revint, expliqua et commenta le menu, fit quelques suggestions, prit en note la commande. Lorsqu'elle apporta le vin, le brouhaha des clients diminua. Quelques-uns applaudirent. Marjorie se retourna sur sa chaise, plaçant son avant-bras sur le haut du dossier tandis que sur la scène, un guitariste s'assoyait et entamait un air du répertoire flamenco. À côté de lui se trouvait un homme lui aussi assis, qui l'accompagnait en frappant dans les mains. Après un moment, ce dernier posa ses paumes ouvertes sur ses cuisses et se mit à chanter d'une voix poignante, rocailleuse, profondément émouvante. Comme si ses cordes vocales étaient reliées à la fois à son âme et à ses tripes.

L'adolescente n'avait aucune idée de ce que la chanson gitane racontait. Les émotions intenses et séculaires qui s'en dégageaient la firent pourtant frémir. Bouche bée et haletante, elle dévisageait les deux artistes, incapable de penser ni de bouger.

Le chant se termina, la guitare se tut, les applaudissements les saluèrent de plus belle.

— ¡ *Guapa Carmen!* s'écria alors le grand-père de Marjorie, le visage et le regard illuminés de joie.

La jeune fille pivota d'un quart de tour vers l'endroit indiqué par le nouveau retraité.

Deux femmes venaient de faire leur entrée en scène. La première était coiffée d'un chignon et vêtue d'une robe noire à pois blancs. À ses pieds, des chaussures rouge vif. Elle devait avoir la cinquantaine bien sonnée. Son corps ample et généreux laissait supposer des enfantements. L'autre affichait un corps menu et la jeune vingtaine. Sa robe bordeaux à nombreux volants s'ornait de galons jaunes. Sur ses épaules reposait un beau châle crème. Le guitariste gratta son instrument, le chanteur fit vibrer sa voix, les femmes s'avancèrent au centre de l'estrade.

Les danseuses frappèrent le sol d'une série de coups de pied dont la vitesse variait. Elles marquaient ainsi les temps et les contretemps de la musique. Alors que le bas de leur corps se déchaînait ou s'apaisait, leurs mains et leurs bras dessinaient des arabesques envoûtantes. Parfois, elles attrapaient un pan de leur robe, comme pour dire :

regardez nos pieds. Ils bougeaient si vite que seule leur musique était perceptible.

Les femmes représentaient le miroir des paroles du chanteur. Sur leur visage allaient et venaient les émotions. Elles resplendissaient d'une énergie incroyable, d'une sensualité toute féminine. La vie, les passions, le destin s'exprimaient en elles, à travers elles. De la pointe de leurs pieds jusqu'au bout de leurs doigts. D'elles jusqu'aux spectateurs conquis.

Lorsque la serveuse lui servit sa paella, Marjorie ne put détacher ses yeux du spectacle inattendu qui s'offrait à elle. Elle était subjuguée par le son particulier de la guitare, par la raucité brute et douloureuse de la voix, par la puissance dramatique de la gestuelle de la danse. Elle éprouvait une forte sensation de vertige. Quelque chose de fort et de mystérieux l'interpellait, la bouleversait. Et elle ne voulait rien manquer de cette histoire qu'on lui chantait dans cette langue étrangère, ici, dans la cave de ce petit restaurant tenu par des immigrants, à des milliers de kilomètres de l'Espagne.

# 2

## *Alegría...* la joie au cœur

*Como reluce mi Cadiz*
*Mira que bonita está*
*Sobre un cachito de tierra*
*Que le ha robaito al mar.*

Marjorie n'avait pas dormi de la nuit. Seule dans l'obscurité de sa chambre, les yeux grands ouverts tournés vers la lune, elle revivait, petit sourire aux lèvres, les événements de la soirée. Elle revoyait les deux danseuses de flamenco exécuter des chorégraphies passionnées sur des airs tantôt nostalgiques, tantôt légers et coquins, tantôt gorgés de misère.

Elle revoyait surtout cette femme ronde, Carmen, danser, célébrer la vie et ses différents états d'âme. Malgré son embonpoint et son âge, la danseuse était belle, aussi féminine et sensuelle que l'autre, plus jeune et mince. Le regard que portait l'adolescente sur les deux artistes ne s'attardait pas à cette couche superficielle et éphémère. Il creusait plutôt un puits invisible jusqu'au cœur, jusqu'à l'âme pour en découvrir sa nature cachée, sa véritable essence, son langage universel.

Du coup, la minceur et la jeunesse, si chers au ballet classique, ne comptaient plus. Le flamenco venait de reléguer les kilos et l'âge dans une autre dimension. L'esthétique et l'harmonie des corps ne passaient plus par la symétrie ou la conformité plastique ; elles mettaient plutôt en valeur la personnalité et les différences propres à chaque interprète. L'art s'adaptait au corps des danseuses au lieu de les soumettre, de les mouler, de les confondre. Il ne le déshabillait pas pour en exhiber les lignes parfaites ; il le couvrait d'humilité, de pudeur.

Galvanisée par ces révélations soudaines, Marjorie ressentait une énergie telle que vers trois heures du matin, elle sortit du lit, ouvrit son iPhone et se mit en quête d'une école de flamenco. Grâce à Internet, elle en trouva au moins six près du centre-ville, et une dans son propre quartier. Elle cliqua sur ce dernier lien pour accéder au site. Une certaine Paolina en était la directrice. Elle lut sa bio, consulta l'horaire des cours et les photos prises lors du spectacle des élèves donné en juin. Elle n'avait qu'une envie : décrocher le téléphone pour savoir s'il restait une petite place pour elle.

Elle regarda l'heure : à peine quatre heures… Trop tôt.

— Un courriel…, chuchota l'adolescente, excitée.

Ses doigts volèrent sur le minuscule clavier, puis le message partit vers l'adresse de l'école.

Marjorie attendit l'aube en visionnant d'autres photos d'artistes d'ici et d'Espagne. Lorsqu'elle entendit enfin du bruit en provenance de la cuisine, elle se leva, le sourire toujours imprimé sur le visage. Sa mère se préparait un bol de muesli, Axel, des œufs au plat.

— Moi aussi, je voudrais des céréales, s'il te plaît.

Caroline Saint-Gelais lui en prépara une généreuse portion, qu'elle arrosa de boisson de soya. Sa fille mangea avec appétit, en turlutant.

— Tu as donc l'air de bonne humeur, toi, ce matin !

— Tu sais, le spectacle d'hier soir…

Sa mère s'assit et parla dans une sorte de transe :

— Je n'en reviens pas encore à quel point ces deux danseuses étaient magnifiques.

Marjorie approuva.

— Comme ça, tu n'as pas trouvé la fête trop… mortelle ? s'étonna Caroline.

— Non, en fait, je me disais que je… que je pourrais peut-être essayer…

— Le flamenco ? fit la mère, surprise. Ah oui ?

— J'ai même trouvé une école dans le quartier. Je pourrais y aller à pied.

La femme éclata de rire. Sa fille se remettait à vivre. Elle ne pouvait demander mieux.

— J'ai envoyé un courriel pour savoir s'ils prenaient des inscriptions tardives.

— Ma foi, tu n'as pas chômé !

— Tu acceptes, hein ?

— Mais oui, qu'est-ce que tu crois ! Je suis sûre que ton père approuverait.

De son côté, Axel secoua la tête. Il glissa ses œufs entre deux tranches de pain grillées garnies de mayonnaise.

## Liste « société jetable » par Axel Fortin

- ✓ Ça fait plus. Ça va plus.
- ✓ Bon débarras !
- ✓ C'est pas grave.
- ✓ Y en a un autre. Quelque part.
- ✓ Différent ? Presque pareil ?
- ✓ Pas grave non plus.
- ✓ On remplace.
- ✓ Vite. Vite. Vite.
- ✓ On remplace.
- ✓ Cash. Cash. Cash.
- ✓ Une béquille, une canne…
- ✓ L'une ou l'autre :
- ✓ Ça change rien !

— C'est quoi ton charabia, ce matin, hein ? voulut savoir Marjorie, sur la défensive.

Car les énumérations de « Ze List » résonnaient souvent à la manière de dénonciations, de critiques sociales.

— La danse, c'est ta béquille, précisa-t-il entre deux bouchées. Quand l'un ne te va plus, eh bien tu te tournes vers l'autre...

— Tu es tellement pénible! rétorqua Marjorie à son frère.

Furieuse, elle se leva de table et se réfugia dans sa chambre. Caroline soupira de découragement.

— Ta sœur a retrouvé le sourire. Tu pourrais t'en réjouir.

Le cégépien opina pour la forme avant d'engouffrer la dernière bouchée de son sandwich. À ses yeux, il n'y avait guère de différence: flamenco et ballet classique revenaient au même.

Marjorie Fortin et Béatrice Demers partageaient deux cours ensemble: histoire et éducation à la citoyenneté, en plus de celui de science et technologie. En ce jour 3, elles devaient donc se côtoyer d'un peu plus près puisque les matières en question figuraient à leur horaire.

Elles s'aperçurent de loin, dans le long corridor de l'aile C. Marjorie se trouvait déjà près de la porte du local d'histoire. Elle fit aussitôt mine de chercher quelque chose dans son fourre-tout. Quant à

Béatrice, elle ralentit le pas, le regard fixé sur sa rivale, optant pour une démarche fauve qui attira une fois de plus l'attention des garçons.

La première cloche sonna. Aucun professeur en vue, hormis ceux des autres classes. Le couloir se vidait peu à peu des élèves. La deuxième cloche retentit. Pas de prof, pas de suppléant, pas de secrétaire ou de directeur. Les choses s'annonçaient bien, semblaient dire les larges sourires des élèves du cours d'histoire. Ils auraient droit à une période de congé. Pour la forme, ils attendirent encore un peu.

— Tiens, voilà le retardataire, souffla Béatrice, déçue.

Des soupirs accueillirent l'annonce. Le professeur déverrouilla la porte du local sans regarder les élèves. Il entra, plaça ses effets sur son bureau et annonça, comme si de rien n'était, la matière à l'étude pour les soixante-quinze prochaines minutes. Marjorie repensa alors à Simone Bouvier et à son attitude méprisante. Pourquoi les professeurs se croyaient-ils tout permis? Pourquoi n'étaient-ils pas capables de s'excuser, de montrer davantage de politesse?

— Il faudrait demander au futur représentant de quatrième qu'on oblige les profs à justifier eux aussi leur retard, proposa Béatrice à haute voix. Comme nous on est obligés de le faire…

Le professeur lui décocha une œillade vexée.

— Excellente idée! s'écria un garçon.

— J'appuie à cent pour cent! renchérit un autre.

— Et moi aussi!

La classe s'emballa, apprécia l'intervention de Béatrice qui se délectait de l'effet produit. Seule Marjorie ne disait mot. En fait, elle pestait. Non seulement elle avait eu la même idée une seconde plus tôt, mais sa rivale récoltait encore les honneurs. Était-elle donc en campagne électorale? Avait-elle l'intention de représenter ses camarades de quatrième secondaire?

— Béatrice Demers! l'interpella le professeur d'histoire. Si tu n'as rien de plus intelligent à dire…

— Non, mais! répliqua l'élève en prenant le groupe pour témoin. Pourquoi on doit les appeler monsieur et madame, et les vouvoyer alors qu'ils nous disent «tu» gros comme le bras et qu'ils nous traitent d'imbéciles!

— Je vote pour toi si tu te présentes, Béa!

«Quel monde injuste!» songea Marjorie en grimaçant.

— Suffit! cria le professeur, hors de lui. Si j'entends un mot de plus, vous allez terminer la période chez le directeur! Compris?

Marjorie et Béatrice dévisagèrent le prof aux joues empourprées. Chacune en son for intérieur eut envie de lui dire que ses menaces faciles et ridicules, pour ne pas dire enfantines, ne rimaient à rien. Elles ne purent s'empêcher, toutes deux et de façon simultanée, de se rappeler une ancienne camarade de classe, Sabrina. La fillette de huit ans se retrouvait souvent chez l'une ou chez l'autre pour jouer. Lorsque la mère de celle-ci l'appelait pour l'heure du souper, Sabrina en profitait pour partir sans jamais les aider à ranger. Un jour, tandis que Béatrice et Marjorie s'amusaient chez Sabrina, elles avaient décidé de lui faire subir le même traitement. La petite, paniquée par le désordre de sa chambre, avait alors formulé la plus grande des menaces : « Si vous ne m'aidez pas, je vais le dire à vos parents… » Sabrina faisait pitié, seule au milieu de ses jouets épars. Des années plus tard, Marjorie et Béatrice trouvaient que leur professeur d'histoire lui ressemblait. Il avait besoin d'une autorité supérieure pour régler le problème à sa place.

Marjorie lorgna du côté de sa rivale. L'air satisfait et confiant de Béatrice, rehaussé d'un petit sourire carnassier, exaspéra la jeune fille, qui se mit à feuilleter son cahier. Le cours se poursuivit dans une atmosphère tendue et se termina néanmoins sans autre anicroche. Les élèves se dépêchèrent ensuite d'aller dîner et de se retrouver entre amis pour parler librement.

Dans la file qui se formait devant le comptoir de la cafétéria, Marjorie entendit une voix familière derrière elle.

— Il paraît que ça brassait, en histoire…

Elle se retourna en retenant son souffle. Thomas Legault était là, à côté d'elle, le regard plongé dans le sien. Elle se sentit faiblir.

— Oui, un peu… Ça va ?

— Cool. Tu prends les pâtes ou le pain de viande ?

— J'hésite, là…

— Les pâtes sont meilleures. Et puis quand on fait du sport, c'est cool.

— Tu as raison…

Un espace se créa dans la file, devant elle. Du menton, il lui fit signe d'avancer. Elle obéit, rendue un peu nerveuse par sa proche présence, par son parfum, par son sourire complice. Ils payèrent leur repas.

— Tu manges seul ? se risqua-t-elle.

— Non, les copains m'attendent. On se voit plus tard ?

— Oui…

Il alla rejoindre ses amis et enfila avec appétit son assiette de raviolis. Elle demeura un instant immobile à l'observer, avant de mettre le cap sur la section des vestiaires pour manger, assise au fond de son casier.

À la reprise des cours, elle grimpa l'escalier principal pour retourner dans l'aile C. Elle fut à moitié surprise de trouver Béatrice entourée de nouveaux admirateurs. Et pas que des garçons. Sur l'heure du dîner, l'escarmouche du cours d'histoire avait couru sur toutes les lèvres. Maintenant, on invitait la belle rebelle à briguer le poste de représentant des élèves de quatrième.

— Je ne faisais pas ça pour gagner des voix, se défendit-elle. Je n'ai même pas donné mon nom et les élections ont lieu vendredi…

— Il n'est pas trop tard pour bien faire, tu sais! remarqua un garçon.

— Je suis certaine que tu pourrais faire avancer les choses, prophétisa sa voisine.

— Peut-être, mais…

Un garçon leva le poing dans les airs et se mit à scander:

— Béa! Béa! Béa!

On l'imita, ce qui ravit la principale intéressée. Marjorie aurait dû se renfrogner devant la popularité grandissante de sa rivale. Pourtant, l'effervescence que Béatrice Demers créait ne la toucha pas. Car parmi les élèves qui l'encourageaient, elle reconnut le beau Thomas, qui semblait rester de marbre devant les charmes de son ennemie jurée.

## Journal de Marjorie: le 6 octobre…

*Le monde n'est peut-être pas aussi injuste que je le pensais. Thomas ne tombe pas dans le panneau de la girafe. Ça prouve qu'il n'est pas comme les autres et que les gars ne sont pas tous des causes désespérées. Il y en a encore dans cette école qui ont du bon sens. Et puis ça prouve surtout qu'il en vaut la peine…*

*Thomas est très occupé. Il n'a pas beaucoup de temps en dehors du soccer et de ses projets de film. Je le comprends tellement. C'est comme moi et la danse. On a ça dans le sang. On est faits pour s'entendre. C'est l'évidence.*

*C'est sûr que j'ai été déçue, tantôt. Quand il m'a proposé de se voir plus tard, je croyais qu'il voulait dire après l'école. Mais un entraînement facultatif avec un des joueurs de l'Impact de Montréal, ça ne se refuse pas! Je m'imagine, moi, si on m'offrait la possibilité de danser en compagnie de Mikhaïl Barychnikov, par exemple. Fudge que je dirais oui! Deux fois plutôt qu'une, à part de ça!*

*Oui, Thomas et moi, on est pareils. J'espère qu'il s'en est aperçu. Sinon, il ne m'aurait jamais embrassée… Bon, me voilà comme ma mère qui passe son temps à s'inquiéter. Une chance que je ne parle pas comme elle, avec des phrases et des stats tirées de revues, ça le ferait fuir.*

*En tout cas, ça ne semble pas le gêner que je sois grosse. Je l'étais déjà, à la Saint-Jean, et ça ne l'a pas empêché de m'embrasser. Je le suis un peu plus maintenant, mais comme il m'avait proposé un rendez-vous (qui n'a pas eu lieu, d'accord, mais c'est difficile de rivaliser avec un joueur de l'Impact), je crois que la question est réglée : il s'en moque.*

*Alors… Thomas Legault est parfait! Et là, je n'ai même pas parlé de ses qualités physiques : beau, châtain aux yeux vert olive, juste assez costaud, grand, fort… En plein mon genre.*

## Slam de Béa

*Le solo commence.*
*Elle parle avec éloquence,*
*Avec virulence.*
*Autour d'elle les révérences*
*Créent une nouvelle tendance,*
*Une sorte de Renaissance.*
*Mais il reste en silence,*
*Sans montrer son attirance*
*Malgré le feu de ses sens.*
*Allez, subis son influence.*
*Abandonne ta résistance.*
*Avance, timide Adonis, avance.*
*Viens, entre dans sa danse...*

Ses amies apprécièrent le débit tantôt lent tantôt rapide de la nouvelle candidate aux élections scolaires.

— C'est qui le « timide Adonis » ?

— Oui, moi aussi, ça m'intrigue !

Béatrice se tourna vers Clara et une autre de ses camarades de classe, venues chez elle pour un travail d'équipe en français.

Un timide Adonis. Voilà l'impression que lui avait donnée Thomas Legault lors de l'attroupement des élèves, dans l'aile C. Elle l'avait cru plus fonceur, plus sûr de lui. Il était plutôt resté là, sans dire un mot, se contentant de la dévisager, de l'observer, d'imprimer dans sa mémoire ses paroles et ses gestes.

Un timide Adonis. L'image lui plaisait bien. L'hésitation de Thomas le rendait encore plus charmant et désirable.

— Un garçon, répondit-elle vaguement.

— Allez, dis-nous qui c'est, insista Clara.

— On sait garder un secret, tu sais.

Béatrice n'y croyait pas vraiment.

— Je préfère ne rien dire. Il y a une autre fille qui lui tourne autour.

Bien sûr, elle avait entendu parler du fameux baiser de la Saint-Jean. Elle ne considérait toutefois pas l'événement comme un obstacle insurmontable. Après tout, si Thomas Legault et Marjorie Fortin s'aimaient, ils seraient ensemble depuis belle lurette. Comme rien ne s'était concrétisé entre eux, la voie était donc libre.

Les trois adolescentes travaillèrent encore un peu et se quittèrent juste avant l'heure du souper. Seule dans sa chambre, la jeune danseuse songea de nouveau au beau Thomas. Elle se dit que les nombreux regards soutenus qu'il lui portait témoignaient à coup sûr de son intérêt. Il avait sans doute besoin d'un petit coup de pouce pour briser la glace. Une invitation ?

— Non, rectifia-t-elle. Un peu trop direct. Plutôt « Salut, ça va ? » pour commencer. Et je verrai ensuite comment il réagit…

— Tu parles toute seule maintenant?

Béatrice avisa son père qui rentrait du travail.

— Ça m'aide à voir clair.

— Ah bon. Tiens, je t'ai apporté une revue. Il y a un article sur Natalie Portman. Tu sais, celle qui jouait dans...

— *Black Swan*, oui... Merci.

Elle feuilleta le magazine. Elle eut du mal à trouver l'article d'une seule page dans cette mer de publicités pour parfums enivrants, cosmétiques rajeunissants, vêtements haut de gamme et sous-vêtements affriolants. Il ne lui apprit rien qu'elle ne savait déjà sur son actrice préférée. «Encore du réchauffé», conclut-elle.

— C'est prêt! annonça son père depuis l'espace cuisine du loft.

Elle s'assit au comptoir et son père lui servit son assiette. Elle la fixa un moment. Elle donna presque l'impression de prier. Une petite portion de bœuf braisé accompagnée d'un peu de riz et d'une salade composée. Le tiers, peut-être même le quart de ce qu'allait engouffrer son père. Elle réprima mal la grimace qui lui chatouilla les lèvres.

Devant elle, assis sur un haut tabouret, Charles-Édouard Demers mangeait avec appétit, un œil rivé sur les infos qui défilaient à la télé, l'autre sur l'écran de son iPad où son index faisait allègrement défiler les statuts et autres nouvelles officielles ou non des réseaux sociaux auxquels il était abonné.

## PUB « INFOS »
### Un slogan de Charles-Édouard Demers

Restez branchés.

Soyez informés.

Ne manquez rien de l'essentiel.

Pour Béatrice, l'essentiel prenait davantage les apparences d'un vrai repas en tête à tête.

— Tu penses encore à elle, des fois?

— À qui? fit-il sans lever la tête.

Le retour de la question et l'indifférence qui en émanait la peinèrent. Elle, elle pensait souvent à sa mère. La femme lui manquait bien qu'elle n'en gardât plus aucun souvenir. Il y avait si longtemps et elle était alors si petite.

— Ça va faire douze ans en novembre qu'elle est morte. Tu n'as quand même pas oublié!

Cette fois, son père faillit s'étrangler avec un morceau de viande. Il s'essuya la bouche avec la serviette de table, posa les mains à plat sur ses cuisses, puis prit une grande inspiration.

— Non, Béa. Je n'ai rien oublié.

— Des fois, je me demande si tu l'as vraiment aimée.

— Ta mère a changé ma vie, décréta-t-il avec un sourire un peu forcé.

— Pourquoi tu n'en parles jamais alors? Tu ne m'as jamais dit comment vous vous étiez rencontrés.

Ces choses-là, si lointaines et pourtant encore si vives, il ne consentait pas à les divulguer. Il ne se résignait pas à étaler la vérité, ni les faiblesses de sa personnalité. Il garderait le passé pour lui seul. Pour toujours. Et l'emporterait dans sa tombe. Sa fille ne devait pas savoir. Jamais. Et il se disait bêtement que ce que Béatrice ignorait ne pouvait pas lui nuire.

— Parce que… ça me fait toujours mal, gémit-il.

— Ça fait partie de mon histoire ! lui reprocha-t-elle.

— Je te demande pardon. C'est au-dessus de mes forces.

Il se leva de table et alla passer des vêtements plus confortables. Béatrice lorgna du côté de l'assiette que son père n'avait pas terminée. Elle hésita puis, d'un mouvement rapide, l'attrapa. Lorsque l'homme revint dans l'espace cuisine, il fut surpris de trouver la table débarrassée.

— Je croyais que tu avais fini, se justifia l'adolescente. J'ai tout envoyé dans le broyeur.

Elle plaça les assiettes sur le comptoir avant de retourner dans sa chambre. Elle referma la porte, mit de la musique, ajusta le volume et grimpa sur le vélo stationnaire que son père lui avait offert en cadeau à son anniversaire. Ses jambes allaient et venaient. Ses épaules roulaient l'une après l'autre. Sa respiration s'alourdissait. Ses yeux ne quittaient pas une petite photo encadrée sur son chiffonnier.

Un bébé naissant dans les bras de sa mère. Elle contre le sein de sa mère. Le seul souvenir qui lui restait d'elle. Une femme très belle, un peu fatiguée, mais souriante, que la grossesse avait enveloppée.

Béatrice pédalait. Pour brûler les calories. Pour effacer le passé, aussi. Et ses larmes glissaient sur ses joues tels des torrents.

Tous les mercredis en soirée depuis le début d'octobre, Marjorie se rendait à son cours de danse. Le flamenco se révélait lentement à elle. Elle devait tout déconstruire pour apprendre un nouveau vocabulaire gestuel.

Coups donnés au sol avec le pied en entier, avec la plante, avec le talon ou avec la pointe du pied. *Golpe, planta, tacón, punta…* Ports de bras avec mains qui roulaient sur elles-mêmes, tantôt *afuera*, vers l'extérieur, tantôt *por dentro*, vers l'intérieur… Une posture qui rappelait un peu celle des pharaons : le bas du corps de côté, les épaules et la tête tournées vers l'avant.

Le flamenco, c'était bien plus qu'une dame qui danse dans une robe à gros pois avec un air fâché et qui tape du pied comme si elle allait défoncer le plancher ! Il racontait les états d'âme des hommes et des femmes : la joie, l'espérance, l'insouciance, la mort, l'amour, la jalousie… Afin de traduire la vie en danse, les artistes flamencos avaient créé depuis des siècles des *palos*, ou codes musicaux typiques. Dans chaque *palo*, la musique, la danse et le chant se teintaient d'une couleur propre, selon ce que l'on voulait communiquer. Parmi ces *palos*, il y avait la *soleá*, l'*alegría*, la *farruca*, la *garrotín*, le *martinete*, et bien d'autres encore. Chacun exprimait une idée, un sentiment différent de la vie. Chacun possédait une structure musicale typique. Certains *palos* se déclinaient en huit ou en douze temps.

Les *palos* flamencos en douze temps fonctionnaient avec des accentuations précises et codifiées. La *soleá*, à l'énergie plutôt dramatique, se démarquait des autres *palos* par des temps forts sur le 12, le 3, le 6, le 8 et le 10. Plus encore, le compte habituel commençait par le 12, le dernier temps de la structure musicale, comparativement au ballet classique ou à la danse moderne où le compte débutait par le 1 traditionnel. Et les exercices ou les chorégraphies de *soleá* ne se terminaient pas sur le 11, comme Marjorie aurait pu s'y attendre, mais sur le 10 !

Oui, la jeune fille découvrait chaque mercredi soir quelque chose d'inusité, ce qui renforçait le caractère particulier et mystérieux que le flamenco revêtait pour elle. Elle se découvrait une nouvelle passion où le corps féminin et ses courbes naturelles ne se soumettaient pas à des diktats esthétiques implacables. Au contraire, le flamenco les magnifiait. Dans la classe de niveau avancé, juste avant la sienne, il y avait d'ailleurs plusieurs femmes d'âge mûr dont elle enviait la beauté et le maintien majestueux.

Marjorie apprenait vite. Un cours par semaine ne lui suffisait pas. Dans les groupes de débutants, les élèves exécutaient surtout des exercices de base ; elle, elle voulait danser.

— J'aimerais suivre un cours de plus. C'est possible ?

Paolina, son nouveau professeur, renoua son cache-cœur autour de sa poitrine.

— C'est vrai que tu es douée. Tu as l'oreille musicale, en plus. Et disciplinée. C'est bon, ça.

Marjorie se réjouissait qu'on ait remarqué ses qualités de danseuse.

— Tu pourrais venir aussi le lundi.

— Est-ce que les élèves font une chorégraphie pour le spectacle de fin d'année ? demanda l'adolescente.

Paolina rangea quelques disques compacts dans un étui qu'elle glissa ensuite dans son sac.

— Les filles font des *sevillanas*.

Elle lui apprit qu'il s'agissait de danses folkloriques exécutées à deux lors des *fiestas*. Marjorie se rappelait en avoir vues sur Internet. Elle trouvait ces danses belles et gaies, mais trop courtes. Elle souhaitait relever un vrai défi.

Paolina remarqua sa moue déçue.

— Le jeudi, les élèves apprennent un tango. Ça n'a rien à voir avec le tango argentin, tu sais. Tu es la bienvenue, mais sauter les étapes, ce n'est pas l'idéal. Et puis les filles sont plus avancées. Je ne pourrai pas m'arrêter pour t'expliquer les pas de base que tu aurais dû apprendre dans les deux premiers cours.

Marjorie était une passionnée. Quand elle entreprenait quelque chose, ce n'était pas pour le faire à moitié.

— Et si je prenais les trois cours ? proposa-t-elle au professeur.

# 3

## *Petenera…* comme un goût de haine

*Nadie me tendió la mano*
*Cuando más hundío estaba.*
*Que nadie venga a mi puerta*
*Pidiendo un sorbo de agua.*

Un, deux, trois, quatre, cinq, six, sept, huit.

Un, deux, trois, quatre…

Les exercices à la barre s'enchaînaient tandis que Simone Bouvier déambulait près de ses élèves pour corriger leur technique. Ici, elle invitait l'une à serrer davantage les fesses; là, elle insistait pour qu'une autre relève le menton; ailleurs, elle corrigeait la trajectoire d'une jambe.

— Allez! les exhorta-t-elle. De la souplesse! De l'élégance! Que rien ne paraisse sur votre visage sinon la facilité!

Les ballerines commençaient à souffler plus fort. Leurs joues s'empourpraient. Leurs membres tremblaient sous l'effort. Des cernes de sueur imprégnaient les maillots et les boléros. La fatigue se faisait sentir. Néanmoins, la musique du piano continuait de couler dans l'air, et le professeur de ballet classique poursuivait sa ronde. Elle retouchait la posture de chaque élève comme un peintre en quête de la perfection.

— Au centre pour les sauts maintenant, annonça-t-elle après deux claquements dans les mains.

Quelques jeunes filles profitèrent du changement d'exercice pour se rafraîchir le gosier avec une bonne rasade d'eau de source.

— Donnez-moi quatre séries d'assemblés de côté, puis quatre de sauts de chat et encore quatre de sissonnes retirés...

Les danseuses se positionnèrent en jetant un regard désespéré à l'horloge. Après soixante-quinze minutes d'entraînements intensifs, elles avaient besoin d'une pause, mais les notes de musique retentirent de nouveau à leurs oreilles. Elles s'exécutèrent sans aucune énergie. Simone fronça les sourcils. Il manquait une élève. Elle découvrit Béatrice Demers assise sur le plancher de bois, en train de s'éponger le front. Elle fit signe au pianiste de suspendre la mélodie.

— Un problème, Béa?

La danseuse n'osa soutenir le regard de plomb qu'on lui réservait.

— Je suis un peu fatiguée, admit-elle.

## Manifeste des efforts selon Simone Bouvier

Sans effort, tu ne seras rien.
Sans effort, tu n'iras nulle part.
Sans effort, tu ne mériteras rien.
Sans effort, tu ne seras pas fière de toi.
Sans effort, tu ne réaliseras pas tes rêves.
Sans effort, tu nuiras à ceux des autres.
Sur la scène, rien n'est facile ou simple.
Tu dois cependant le faire croire
À ceux qui te regardent danser, car ils ont payé !
Alors, oublie ta fatigue et travaille plus fort !

Béatrice ne riposta pas. Devant son professeur de ballet classique, elle n'affichait pas la même assurance que le jour, à l'école. En fait, elle se montrait rebelle en classe un peu à cause de la crainte que lui inspirait Simone Bouvier. On ne pouvait pas aimer une telle bête. Cependant, au-delà de cette bête, il y avait la danse, sa passion de toujours. Alors, elle encaissait les coups. Le trop-plein se déversait là où la jeune fille sentait qu'elle détenait plus de pouvoir. Surtout depuis qu'elle avait été élue représentante de quatrième secondaire. Le titre l'enveloppait d'une immunité à toute épreuve, lui semblait-il. Sauf au ballet.

— Je m'attends à ce que ma nouvelle soliste donne l'exemple. Si c'est trop te demander, je n'hésiterai pas à donner le rôle à quelqu'un d'autre.

Les danseuses firent mine de ne rien entendre. Béatrice se leva et rejoignit ses compagnes au centre du local. En position, sans musique, la tête haute et sans qu'aucune émotion effleure son beau visage, elle exécuta, comme si de rien n'était, les sauts exigés par Simone Bouvier.

— Voilà qui est beaucoup mieux, siffla celle-ci.

Le cours se poursuivit sans autre interruption. Sur le coup de vingt et une heures, les élèves quittèrent le studio avec soulagement.

— Tu me connais, Béa, dit Simone à la jeune danseuse qui récupérait sa bandoulière près du piano. Je suis sévère et dure, mais c'est pour ton bien.

— Oui.

— Sais-tu pourquoi tu as enfin obtenu le rôle de soliste?

Béatrice se mordit la lèvre. Les paroles de Marjorie Fortin lui revinrent à l'esprit. Elle n'avait pas de certitude absolue; elle s'en doutait néanmoins un peu. Elle répondit alors d'un petit oui de la tête pour que Simone Bouvier ne le lui confirme pas avec des paroles cinglantes et cruelles.

— Alors, ne l'oublie jamais!

Les arbres perdaient leurs perles colorées sous les bourrasques glaciales de novembre. Les élèves couraient sous la pluie, le corps crispé et voûté. Ils se réfugièrent dans l'école et suspendirent leurs manteaux dans leur casier. Malgré les néons qui s'étiraient au-dessus des allées, la grisaille de l'automne les habitait. Ils auraient préféré rester au lit.

Marjorie consulta son horaire de la journée. Encore un jour 3. Deux cours avec Béatrice Demers. Ce ne sera pas une bonne journée, décréta-t-elle. Elle attrapa ses livres, gravit l'escalier principal et s'engouffra dans l'aile C.

Première période : anglais. Elle s'installa à son pupitre et attendit, tout en devisant avec quelques camarades, la cloche qui marquait le début de la journée. Quelques minutes après qu'elle eut retenti, alors que le professeur présentait les notions du jour, une voix féminine s'éleva dans le local grâce à l'interphone.

Elle énuméra les nouvelles étudiantes : sortie annulée pour les élèves de deuxième, collecte de fonds pour le voyage à Paris pour les troisièmes, réunion pour les organisateurs du bal des finissants, aide aux devoirs et rattrapage…

Marjorie tapota son crayon, n'écoutant que d'une oreille distraite ce qui ne la concernait jamais vraiment.

— … un concours de talents…

Cette fois, l'adolescente se redressa, à l'affût.

— Je vous invite à venir vous procurer toute l'information pour y participer au bureau du secrétariat général, dit encore la voix de la femme. Bonne journée à tous!

Un déclic se fit entendre, l'appareil de communication interne se referma et le professeur d'anglais reprit son cours.

Marjorie, elle, l'ignora. Elle se mit à rêver de danse, de musique, de spectacle.

Dès que la période se termina, elle se précipita vers la section administrative de l'école. Devant le bureau du secrétariat général, une longue file d'élèves serpentait déjà jusqu'aux casiers des jeunes du premier cycle. Au bout de deux minutes, tous les dépliants expliquant les règlements du concours de talents s'étaient envolés comme des petits pains chauds. Il n'y en avait pas assez pour tous les intéressés, si bien que Marjorie dut attendre le dîner pour s'en procurer un. Et, une fois qu'elle l'eut en main, elle toucha à peine à son lunch tant ce qu'elle lisait l'emballait.

## Journal de Marjorie : le 6 novembre...

*Nom d'une réglisse noire! Ça, j'aime ça! En plein ce dont j'avais besoin! Un concours... tellement génial! Bon, ça renforce encore une fois le système de performance dans lequel* on nage chaque jour à l'école, mais là, on pourra le faire à notre guise. On va pouvoir laisser parler notre personnalité. Je ne peux pas manquer ça !

Sauf que... Eh bien, la question se pose : vais-je présenter une chorégraphie de ballet ? Après tout, je danse encore super bien même si je n'ai pas enfilé mes chaussons et mes pointes depuis deux mois. Ma passion est toujours là, au fond de moi. Et puis, ça me permettrait de continuer, d'une certaine façon.

Avec le flamenco, j'en connais trop peu. Ce serait courir à un échec assuré. Tant qu'à me lancer dans cette aventure, aussi bien le faire pour la première place, ou disons les premières. Premier prix de cinq cents dollars, deuxième de quatre cents, troisième de trois cents. Admettons que ça motive ! Sans compter plusieurs prix de participation, genre chèques-cadeaux, disques, DVD, et tout le tralala.

Comme le concours se tiendra en juin, ça me laisse suffisamment de temps pour préparer une chorégraphie bien rodée. D'ailleurs, je vais m'y mettre tout de suite.

Novembre : étape 1 = choisir la musique.

Décembre et janvier : étape 2 = créer la chorégraphie.

Février à mai : étape 3 = pratiquer en studio.

Mai : étape 4 = concevoir costume, maquillage et coiffure.

Alors, commençons par le début. La musique. Du ballet classique, ça se danse sur des airs de Tchaïkovski, de Beethoven, de Chopin... Là, j'ai envie d'étonner les juges et les spectateurs. Si je veux me démarquer, retenir l'attention, je dois être originale du début à la fin. Ce n'est pas tout le monde qui aime le ballet et pourtant, mon numéro doit séduire. Je dois présenter quelque chose d'inusité.

Tiens! Et si je choisissais Paradise de Coldplay? Oui, ça collerait. Comme un ange à la recherche du paradis. Ou bien je pourrais danser sur une chanson de Led Zeppelin? Du genre **Stairway to Heaven**. Je l'ai toujours dit : les vieux groupes rock font les plus beaux slows de la terre.

Côté costume, je me vois très bien en complet gris et pointes de satin noir. Avec une coupe punk ou des dreds? Avec un visage blanchi à la geisha? On verra bien, un mélange de classique et de contemporain, chocolat que ça me plaît!

Bon, eh bien, quelle chanson choisir? Ça mérite réflexion... **Paradise** fait plus de quatre minutes. Et si ma mémoire est bonne, **Stairway to Heaven** en totalise pas loin de huit, alors que le concours exige des prestations d'une durée maximale de deux minutes. Dans un cas comme dans l'autre, il faudra couper quelque part. Où? Et comment? Je ne connais rien au mix. «Ze List» pourrait me donner un coup de main; d'un autre côté, je ne sais pas si j'ai envie qu'il se mêle de mes affaires. À moins de demander à deux élèves de l'école, un guitariste et un chanteur, par exemple, de m'accompagner live sur scène. Ils participeraient eux aussi au concours et, si on gagne, on partagerait notre prix en trois.

Hum... J'aime moins cette dernière option. Ça doit bien se trouver, quelqu'un pour mixer la musique à ma place... Allez, au boulot!

Le concours de talents se mit à en faire rêver plusieurs qui voyaient dans cette occasion une sorte de première étape à franchir avant d'aller cogner à d'autres portes comme celles de certaines émissions de téléréalité en quête de nouvelles têtes. À leurs yeux, tous les espoirs étaient permis.

Les passions de chacun se révélaient ou s'affermissaient. Danse, musique, chant bien entendu. Mais aussi acrobatie et gymnastique, magie, imitation et humour, karaté et bris de planches de bois, démonstration de mémorisation ou de tir de fléchettes, ou encore de vitesse pour dessiner des portraits... Le concours s'annonçait haut en couleur. Il se tiendrait sept mois plus tard, mais les élèves se mettaient déjà à la tâche. Avec sérieux, avec optimisme, avec détermination, même à la blague.

Se démarquer. En bien ou en mal, mais sortir du lot. C'était leur nouveau leitmotiv.

## Slam de Béa

*Quelque chose rôde.*
*Elle sent l'eau chaude.*
*Veut briller comme une émeraude*

*Pour ne plus être une crapaude.*
*En a marre qu'on la taraude*
*À chaque chiquenaude.*
*Quelque chose la guette,*
*Le doigt sur la gâchette.*
*Elle n'est pas bête.*
*Elle refuse une autre défaite.*
*Mais apeurée et secrète,*
*Elle continue de faire la vedette.*

— De quoi tu parles ?

Béatrice, cramponnée au lavabo des vestiaires, se redressa en sursaut devant la première élève qui se présentait à la classe de ballet. Elle avait l'habitude d'improviser devant un petit public composé d'amis proches, à l'école ou encore à ses cours de danse. Parfois, il lui arrivait de déclamer ses slams devant le miroir, avec pour seul témoin son reflet. Alors, elle se permettait de lever un peu le voile sur le mal-être qui l'habitait et qui grandissait au fil du temps.

— Ça va ? lui demanda encore Clara, un brin inquiète. Tu n'as pas l'air dans ton assiette.

— Oh, je n'ai pas vraiment eu le temps de manger avant de partir.

— J'ai deux barres nutritives dans mon sac. Faites maison. Tu en veux une ?

Béatrice regretta aussitôt son mensonge.

— Oui, génial ! s'exclama-t-elle sans rien laisser paraître.

Elle attrapa un morceau de muesli et de noix enduits de miel pour le mordre à pleines dents.

DOUZE, un, deux, TROIS, quatre, cinq, SIX, sept, HUIT, neuf, DIX, onze…

DOUZE, un, deux, TROIS, quatre, cinq, SIX…

Paolina battait la mesure avec ses mains en frappant un peu plus fort sur les cinq comptes accentués. Les danseuses exécutaient divers déplacements avec ports de bras et maniement de leur longue jupe à volants.

Marjorie dansait maintenant trois fois par semaine. Elle adorait les nouvelles possibilités que lui offrait le flamenco. Elle progressait vite et bien, même si elle ne se sentait pas toujours à l'aise. Elle était la plus jeune, la petite nouvelle qui ne possédait pas encore le bon habit de danse, celui grâce auquel elle ferait enfin partie du monde flamenco.

— Parce que tu crois que c'est important? lui demanda son professeur, après son cours du mercredi.

— Eh bien, j'imagine… non? Je suis allée à la boutique dont vous m'aviez parlé. C'est très cher les chaussures et les jupes. Je vais devoir attendre un peu.

— Tu pourrais danser en pantalon de jogging avec une petite jupette de ballet par-dessus et ce serait parfait. Quant aux chaussures, l'important c'est que tu sois à l'aise. Et que le talon soit solide.

L'adolescente fronça les sourcils malgré elle.

— Rien ne presse, Marjorie. C'est ta première session. Pourquoi veux-tu aller aussi vite ? Donne-toi du temps.

— Mais les autres…

Paolina ne lui laissa pas le temps de poursuivre.

— Le danseur de flamenco est musicien grâce à ses pieds, et comédien par ses états d'âme. Le costume n'est qu'un accessoire. Ce n'est que du tissu, qu'un maquillage, qu'une coiffure. Dans les *peñas* et autres rendez-vous du flamenco, les gens dansent avec leurs vêtements de tous les jours, en t-shirt, en jeans ou les cheveux détachés. Crois-moi, ça ne les empêche pas de briller.

Marjorie se rappela ses premières années de ballet classique où il fallait dès le début de la session avoir les collants, le maillot, les chaussons… Dès le départ, on exigeait des élèves qu'elles se ressemblent. Paolina sembla lire dans ses pensées.

— Je me fous que tu sois pareille aux autres. Ce n'est pas ça, le flamenco. Ce que je veux…

Elle posa ses doigts sur le cœur de la jeune fille.

— Je veux que tu ressentes les choses et que tu les vives. Je veux que tu laisses s'exprimer les sentiments qui t'habitent *por dentro*, à l'intérieur de toi. Pour pouvoir danser et pour mieux danser. Pour être et pour mieux être…

La douceur de sa voix réconfortait Marjorie. Elle se sentait comprise et respectée. Jamais Paolina ne l'obligeait à faire quelque chose. À la place, elle l'orientait, lui présentait une autre facette de la vie, de la danse. Alors, elle repensa à Simone Bouvier, à ses commentaires coup de masse, à son attitude méprisante, à ses accusations publiques, à sa rigidité, à son absence d'émotions et d'humanité. Un sentiment de haine l'envahit. Pourquoi n'avait-elle pas rencontré plus tôt quelqu'un de la personnalité de cette Paolina ?

— Chaque *palo* se veut en quelque sorte une allégorie d'un moment précis de la vie, ajouta le professeur de flamenco. De la même manière qu'un miroir la réfléchirait. Tu dois apprendre à en saisir l'émotion pure qui en découle, à la comprendre, pour ensuite la ressentir, la reproduire et l'interpréter, un peu comme le ferait un comédien.

Elle ferma les fenêtres du studio et revint vers la sortie.

— Pour la jupe et les chaussures, tu peux toujours les commander par Internet directement d'Espagne. Ça va te coûter deux à trois fois moins cher, mais tu devras t'armer de patience. La livraison prend toujours plusieurs mois.

Près de la porte du secrétariat général, sur le mur, un paquet de feuilles agrafées servait de formulaire officiel d'inscription au fameux concours de talents de juin. À chaque pause de la journée, les élèves affluaient par dizaines, crayon à la main, pour y enregistrer leurs nom et prénom, leur niveau scolaire ainsi que le type de numéro qu'ils souhaitaient soumettre au jury, composé de professeurs et d'élèves.

Marjorie s'y pointa le bout du nez entre les cours de l'avant-midi, sans réussir à s'approcher du formulaire aux feuilles déjà sales et racornies. L'heure du dîner allait bientôt sonner et elle redoutait un engorgement encore plus important.

Elle se leva donc de son pupitre et marcha sans bruit vers la tribune où siégeait le professeur d'éthique et culture religieuse.

— Je vous demande pardon, souffla-t-elle à son oreille. Pourrais-je aller à la toilette?

L'homme soupira de lassitude.

— Tu ne pouvais pas y aller avant le cours?

La voix de l'homme avait résonné si fort que les élèves levèrent le nez du texte qu'il leur avait donné à lire. L'adolescente se sentit fondre. Jamais moyen de passer inaperçu avec les profs, se dit-elle, frustrée. On leur demande poliment et discrètement quelque chose pour ne déranger personne, et ils s'évertuent à faire des esclandres, à prendre la classe pour témoin, à mieux asseoir leur sentiment de supériorité. C'était pourtant si simple d'acquiescer.

— Non! répliqua-t-elle sur le même ton, en dépit de ses intentions de ne pas créer de vagues.

Le professeur écarquilla les yeux de surprise.

— Pas besoin d'être aussi bête, Marjorie…

— Ça paraît que vous ne vous êtes pas entendu!

— Bon, d'accord, se dépêcha-t-il de répondre afin d'éviter une autre riposte. Mais fais vite.

— Merci.

Marjorie fila par la porte et courut dans le corridor de l'aile C. Au lieu de se diriger vers les toilettes, elle bifurqua vers les bureaux administratifs. À chaque pas, elle guettait les allées et venues du personnel de l'école. Elle avait de la chance : elle ne croisa aucun surveillant.

En moins d'une minute, elle arriva en vue du formulaire d'inscription. Une élève avait eu la même idée qu'elle. Une silhouette qu'elle reconnaîtrait partout et entre mille. Une taille quatre.

Marjorie stoppa et observa Béatrice Demers en train d'écrire son nom. Celle-ci jeta un œil nerveux par-dessus son épaule.

— Oh! laissa-t-elle tomber avec soulagement. C'est toi…

Elle reporta de nouveau son attention vers le paquet de feuilles et compléta son inscription avec nonchalance, en se dandinant. Quand elle eut terminé, elle tendit le stylo à sa rivale. Son sourire carnassier dansa une fois de plus sur ses lèvres.

— Tu participes, toi aussi?

Incapable de bouger, Marjorie ne souhaitait qu'une chose : écrire son nom et retourner en classe avant que son professeur ne se préoccupe de son absence trop longue. Mais Béatrice restait là tandis que les secondes s'égrenaient. Pourquoi ne s'en allait-elle pas?

— Pas pour faire du ballet classique, j'espère!

— Pourquoi pas? rétorqua Marjorie, piquée au vif.

Béatrice ricana.

— Tu tiens à ce que toute l'école te voie en collants et en maillot?

Une bile haineuse remonta dans la gorge de Marjorie. Depuis les derniers mois, elle ne surveillait plus son poids avec autant d'obsession. Elle n'avait donc perdu aucun kilo. Ses cours de flamenco lui apprenaient à apprivoiser ses nouvelles formes et à les mettre en valeur plutôt qu'à les cacher et à en avoir honte.

— Oh, c'est vrai! répondit la ballerine. Tu fais maintenant du *flamingo*, il paraît.

Elle avait prononcé volontairement le mot de façon incorrecte et du bout des lèvres, avec condescendance.

— Du *flamenco*, oui, corrigea Marjorie. Tu as quelque chose contre ça?

— Moi? fit l'autre adolescente d'un air faussement affecté. Non, non. Mais je te comprends, tu sais. À ta place, j'aurais sans doute fait la même chose.

Le temps filait. Le stylo était toujours tendu entre les deux élèves.

— Qu'est-ce que tu veux dire par là? s'informa la danseuse de flamenco.

— Oh! Rien. Juste que…

— Que quoi, hein? l'interrompit Marjorie, excédée. Que quoi?

— Eh bien, que le *flamingo*, c'est bon pour les deuxièmes carrières. Genre quand on est rendues grosses, vieilles et désespérées. Et qu'on s'obstine quand même à danser.

Cette fois, des larmes envahirent les prunelles de Marjorie. Elle arracha le stylo des mains de sa rivale.

— Réglisse noire! cracha-t-elle, la voix rehaussée de trémolos. Tu ne connais rien au flamenco!

— Je ne demande qu'à voir! répliqua Béatrice sur un ton plein de défi.

Marjorie la repoussa et se planta devant le formulaire d'inscription. Elle leva le bras et gribouilla son nom et son niveau scolaire. Elle suspendit cependant son mouvement au-dessus de la dernière case à remplir. Que devait-elle y inscrire? Elle ne le savait plus.

— Avoue-le donc! l'aiguillonna l'autre. Le flamenco, tu le fais par dépit, parce que tu ne peux plus rien faire d'autre. Pas parce que tu aimes ça!

Et Béatrice Demers s'éloigna d'un pas leste pour assister aux dernières minutes de cours de l'avant-midi.

Marjorie hésitait toujours. Le ballet ou le flamenco? Pouvait-elle encore être une ballerine et
aimer le ballet alors que la discipline la rejetait?

Une larme glissa sur sa joue. Sa main trembla
lorsqu'elle termina son inscription. Elle retourna en
classe, les yeux bouffis et le visage empourpré. Son
professeur la regarda passer devant lui sans mot
dire. Elle fit mine de reprendre sa lecture.

Par dépit? Vraiment? Était-ce tout ce qui lui
restait?

Quand la cloche sonna, la voix du professeur
retentit au-dessus de la mêlée:

— Et n'oubliez pas: je veux votre compte-rendu
pour le prochain cours. Marjorie Fortin? J'aimerais
que tu restes un instant…

Elle approcha d'un pas réticent, sans regarder
l'homme.

— Est-ce que ça va? s'enquit-il.

— Bof…

— Si tu as besoin de parler, je suis là pour ça, tu
sais.

Elle releva la tête ainsi qu'un sourcil d'un air
dubitatif.

— Je… je suis désolé pour tantôt, s'excusa le
professeur d'éthique, sincère. Je suis un peu préoc-
cupé, ces temps-ci…

— Ah! Parce que vous croyez que nous, les
élèves, on ne l'est jamais?

Embarrassé par le commentaire, il esquissa une petite moue.

— Je crois qu'on a tendance à l'oublier, confessa-t-il au nom de ses collègues. Allez, profite de la pause du dîner pour te changer les idées.

Marjorie le remercia d'un signe de tête et quitta le local.

## Journal de Marjorie : le 10 novembre...

*Elle n'est pas une girafe. C'est peut-être grand et élancé, mais c'est quand même gentil.*

*Non, je dirais plutôt qu'elle est... une vache. Sauf que ce n'est pas vraiment méchant non plus.*

*Alors quoi ? Une chienne ? Une morue ? Une hyène ? Une requine ?*

*Ça approche, bien que ce ne soit pas tout à fait ça. Et puis je trouve ça insultant. Pour les animaux, je veux dire. Eux, si ce sont des prédateurs, c'est parce que c'est inscrit dans leurs gènes. Ils ne savent rien faire d'autre. Ils ne pourraient pas apprendre à changer. À moins d'une mutation soudaine. La Demers, elle, agit avec malice alors qu'elle a le choix. Elle pourrait ne rien dire (à défaut d'être gentille, ce serait au moins un début). Pourtant, elle attaque quand même et mord au sang.*

*Tiens, j'ai trouvé : c'est une mutante. Elle n'était pas comme ça avant...*

Toujours est-il qu'elle a tort. Le flamenco, ce n'est pas un art de deuxième ordre. Ou de la deuxième chance. J'ai visionné d'autres vidéos sur YouTube en revenant de l'école. C'est vrai que certains danseurs sont minces, mais j'ai découvert Eva La Yerbabuena, petite et un peu rondelette, qui danse du tonnerre. Il paraît que c'est une des figures dominantes du flamenco, à l'heure actuelle. Il y avait aussi Matilde Coral, une femme qui m'a vraiment impressionnée par son visage, ses gestes et l'expérience qui transpirait de son vieux corps. Oh, j'oubliais El Farruco, avec son gros ventre de père Noël. Je suis certaine que même si je dansais le flamenco tous les jours pendant le reste de ma vie, ces trois-là seraient encore mille fois meilleurs que moi.

Par dépit ?

Je l'avoue : peut-être un peu au début. Sauf que depuis c'est devenu une véritable passion. Pour la première fois, j'oublie un peu la performance et la compétition avec les autres filles et je prends plaisir à danser.

Je veux tout connaître : les danseurs, les chanteurs, les musiciens, le rythme des palos, l'origine de ceux-ci et leur signification, les influences, l'histoire, le métissage des peuples qui ont façonné cet art incroyable... et bien sûr, je veux danser. Je veux ressentir cette incroyable vibration au fond de moi pour la redonner.

De là à présenter une chorégraphie de flamenco à un concours de talents alors que j'en suis à mes premiers golpes à vie, il y a des limites..., que je viens tout juste de m'engager à dépasser. Pas par dépit, mais bien par défi. Parce que je déteste Béatrice Demers. Parce que je déteste ce qu'elle *représente, ce à quoi elle croit. Parce qu'elle ressemble trop à Simone Bouvier. Parce que j'ai envie de lui faire ravaler sa langue venimeuse de vipère.*

*Ah, vipère! Ça, ça lui ressemble!*

*Oui, par défi, j'abandonne l'idée du remix (de toute façon, je n'avais pas encore arrêté mon choix sur la musique) et la choré que j'avais commencé à concevoir. Je ne peux pas revenir en arrière. Elle serait bien trop fière d'elle, la Demers. Et je ne lui donnerai jamais ce plaisir. JAMAIS! Ce sera donc le flamenco et rien d'autre.*

Marjorie referma son journal et posa son crayon. Elle attrapait son sac d'école lorsque sa mère passa la tête par l'entrebâillement de la porte.

— Alors, grosse journée?

— Bof...

La femme secoua la tête. Elle savait ce qui se cachait derrière cette réponse elliptique. Elle entra dans la chambre et s'assit au bout du lit.

— L'adolescence est une étape ponctuée par de profonds questionnements existentiels, prétendit-elle. Elle contribue souvent à détériorer la communication établie jusqu'alors avec les parents... Il me semble que tu t'éloignes, Jo, que tu te rebelles, que tu te refermes comme une coquille. Et je me demande quelle attitude adopter. J'hésite entre l'autorité que je suis censée représenter et le copinage pour renouer avec notre ancienne complicité. Si je nie ton désir d'être toi et de couper le cordon ombilical, je risque de faire régresser notre relation. Je sais que tu ressens le besoin de communiquer. Mais c'est difficile d'attendre que le dialogue ait lieu quand toi tu en éprouveras le besoin et selon tes propres convenances qui n'ont rien à voir avec les miennes...

— Tu t'améliores, remarqua l'adolescente. C'est bien la première fois que tu nous inclus dans tes articles psycho pop, même si au fond, tu as seulement remplacé « le parent » par « je » et « l'adolescent » par « tu »...

Caroline Saint-Gelais se sentit déjouée par la perspicacité de sa fille. Néanmoins, elle s'entêta à lui dire qu'elle était là, qu'elle le serait toujours.

— Tu n'as pas à tout garder pour toi, Jo. Tu peux avoir confiance en moi.

Marjorie se détourna, marquant ainsi son désir, son envie de se retrouver seule.

Caroline lorgna du côté du journal qui recevait les confidences de sa fille. Elle aurait aimé y jeter un œil. Pas par voyeurisme ou pour satisfaire une curiosité malsaine, mais pour comprendre et trouver les mots. Les bons mots, les mots justes. Pour mieux lui parler. Pour être une meilleure mère. Elle n'osait toutefois pas profaner le jardin secret de Marjorie. Il était hors de question de creuser davantage l'espace qui les séparait depuis quelque temps. Elle avait hâte que son mari rentre à la maison. Avec lui, les situations difficiles se simplifiaient toujours comme par magie.

# 4

## *Jabera...* un soupçon d'amour

*Cuando paso por tu calle*
*Miro siempre a la ventana*
*Esperando ver tus ojos, ¡ay!*
*Pa' que alumbren la mañana.*

La première neige de décembre tardait alors que le froid était au rendez-vous depuis plus d'un mois.

Marjorie retira son manteau et s'assit près de la fenêtre donnant sur le large trottoir où les passants se bousculaient afin de compléter leurs emplettes de Noël. Elle commanda un bol de chocolat chaud qu'on lui servit rapidement. Avant de siroter sa première gorgée, elle se réchauffa les doigts contre le bol et souffla sur le liquide fumant saupoudré de poudre de cacao. Quelques flocons envahirent le ciel gris.

Elle n'arrêtait pas de songer au concours de talents et à la chorégraphie qu'elle devait préparer pour participer à l'événement. Elle leva les yeux lorsque la clochette de la porte du café *Farniente* vibra. Elle s'immobilisa, la lèvre posée sur le bord du bol.

Thomas Legault entra. Il balaya les clients de son regard vert olive et remarqua Marjorie qui lui offrit un sourire timide. Il s'approcha.

— Je peux ?

— Bien sûr…

— Cool.

Il s'installa devant elle et commanda à son tour un chocolat chaud serti de guimauves fondues. Pour emporter. Il ne resterait donc pas longtemps dans le petit café, en conclut l'adolescente.

— Qu'est-ce que tu fais ? s'informa-t-il.

— Rien. Je veux dire… pas grand-chose. En fait, je… réfléchis.

Son hésitation le fit rire. Marjorie se mordit la lèvre. Elle espérait cette rencontre depuis des mois et quand celle-ci survenait, elle se mettait presque à bégayer. Il faut dire qu'elle ne s'attendait pas à le voir là.

— À quoi ?

— Au concours de l'école.

— Cool. Moi, je vais faire un court-métrage d'animation.

— Et ça raconte quoi ?

## LA FIN DU MONDE
## Un scénario de Thomas Legault

### MUSIQUE TRASH
### EXTÉRIEUR. VILLE DÉTRUITE – JOUR

Montage : différents plans d'une grande ville détruite et de cadavres démembrés qui jonchent le sol.

### INTÉRIEUR. VILLE DÉTRUITE – JOUR

Montage : différents plans d'intérieurs de maisons, d'écoles, de garages, etc. qui ont tous été saccagés.

Une porte claque. Des pas de course qui retentissent.

Une respiration haletante.

### EXTÉRIEUR. PLAINE GRISE – JOUR

La course cesse. La respiration se calme.

Un Gars, visage sale et vêtements déchirés, marche lentement, laissant derrière lui la ville détruite.

Dans le ciel, une flèche de lumière fend l'air, suivie d'un fracas terrible. Le silence revient. Le Gars hésite. Il ne sait plus où aller.

Des pleurs attirent son attention. Près d'un arbre calciné, il découvre une Fille de son âge, très belle. Elle relève la tête : elle est aussi mal en point que lui. Elle tremble de peur.

GARS *(tendant la main)*

Viens.

Elle obéit. Ils marchent ensemble.

## EXTÉRIEUR. COLLINE – JOUR

Le Gars et la Fille grimpent la colline. Lorsqu'ils arrivent au sommet, de nouveaux météorites s'écrasent dans la plaine et ébranlent le sol.

FILLE *(se collant sur le Gars)*

On n'en a plus pour longtemps. Mais avant...

Elle tourne vers lui un regard désespéré.

FILLE

Tu seras le premier. Et le dernier...

GARS

Cool.

Le Gars et la Fille s'embrassent avec passion.

Fondu au rouge avec méga bruit d'explosion.

— C'est juste une première version. Au fond, c'est une histoire d'amour entre deux jeunes au bord du gouffre. Cool, non?

Marjorie le dévisagea avec de grands yeux, émue par cette scène apocalyptique qui se terminait dans un ultime baiser. Était-ce lui? Était-ce elle? Pour toujours et à jamais? Était-ce ainsi qu'il voyait les choses, sans oser le lui dire franchement?

— Wow, c'est une idée géniale!

— Mouais. Ce n'est pas encore au point, mais ça va ressembler à ça. Et toi?

— Flamenco.

— Cool. Je vais voter pour toi.

94

La serveuse lui apporta son chocolat chaud et il la paya. Il en but deux gorgées avant de renouer son foulard.

— Je dois y aller. Réécriture de scénar. À plus.

Et il partit en coup de vent. Elle n'eut même pas le temps de lui dire au revoir ni qu'elle allait elle aussi voter pour lui. Comment pouvait-il en être autrement ?

Elle consulta sa montre.

— Fudge !

Elle n'avait pas vu le temps passer et son cours de flamenco venait de commencer. Elle arriva après les exercices de réchauffement, alors que Paolina enseignait un nouveau *zapateado*, ou enchaînement de pieds, pour la chorégraphie du tango. Marjorie l'exécuta sans aucune difficulté et se risqua même à l'accompagner d'un port de bras.

Après le cours, elle alla voir son professeur.

— Est-ce que ça vous arrive de donner des cours privés ?

— Oui, mais je trouve que tu suis très bien. Tu es vraiment douée. Et puis, tu n'as manqué aucun cours.

— Merci, se rengorgea-t-elle, ravie du compliment. C'est juste que… eh bien, à l'école, on doit préparer quelque chose de spécial pour la fin de l'année. Et comme personne ne sait ce qu'est le flamenco, je me disais que je pourrais présenter un numéro de danse.

— Tu veux que je t'enseigne une autre chorégraphie ? Tu n'aimes pas le tango qu'on fait ?

— Non… oui… je veux dire… Oui pour la première question.

— Et pour la deuxième ? s'enquit son professeur pour la taquiner.

— J'aimerais bien connaître plus d'une chorégraphie.

Paolina la dévisagea de longues secondes.

— Tu es une jeune fille passionnée, toi. Que dirais-tu d'une *soleá por bulería* ?

— Qu'est-ce que c'est ?

Le professeur plaça un disque dans le lecteur et sélectionna une plage. Une musique à l'énergie dramatique envoûta aussitôt l'adolescente.

— La *soleá* fait partie des *palos* fondateurs du flamenco avec la *siguiriya* et la *toña*. On la considère comme la mère du chant flamenco et la reine de la poésie populaire. Elle rappelle la solitude des êtres humains face à un destin douloureux. Quand elle se termine par une *bulería*, au rythme beaucoup plus festif, ça signifie qu'on a surmonté le côté tragique de la vie, qu'on a appris à se moquer d'elle, d'une certaine façon, malgré les nombreux obstacles. Ça te dit ?

Marjorie accepta avec enthousiasme.

— Je vais te faire le cours à moitié prix.

— Cool.

«C'est sûrement ce qu'aurait répondu Thomas», songea-t-elle.

Béatrice s'étira pour créer une arabesque qu'elle maintint pendant huit temps entiers. Sa jambe droite, en suspension dans les airs, semblait solide. La pointe de son pied, dirigée vers l'extérieur, accentuait l'effet de hauteur, de souplesse. Puis, alors que la musique amorçait une lente descente, passant des notes aiguës aux graves, la jambe de la ballerine s'abaissa. Elle se déplaça en piqué et effectua deux pirouettes sur place, sur la pointe de son pied gauche pour terminer sa rotation, face au miroir, en ouvrant les bras. Elle inclina le cou de côté et ses paupières se refermèrent, continuant le mouvement amorcé par sa tête. Le piano se tut.

Les élèves applaudirent leur camarade. Simone Bouvier riva ses poings à ses hanches.

— Correct, jugea-t-elle avec une économie de mots et de sentiments.

Béatrice rejoignit les autres danseuses. De toute évidence, son professeur n'était pas satisfait. Qu'avait-elle omis de faire? L'interprète manquait-elle de souplesse, de grâce? Pourquoi Simone ne disait-elle rien, elle qui d'habitude ne se privait jamais pour critiquer les interprétations?

La femme interpella une élève qui avança d'un pas.

— Julie, dit Simone. Tu as vu plusieurs fois Béa exécuter ce solo. Pourrais-tu le faire, tu crois ?

— Pas aussi bien qu'elle…

— Montre-moi.

Le professeur céda la place à la ballerine et invita le pianiste à reprendre l'air classique. Julie interpréta la création chorégraphique de Simone Bouvier. Ses gestes n'hésitaient pas. Ils coulaient avec aisance et finesse. La jeune fille ne commit aucune erreur. Béatrice, incapable de ravaler la boule de nervosité qui sautillait dans sa gorge, se mit à craindre le pire.

— Bravo ! déclara Simone. Vraiment parfait ! Tu feras une excellente doublure !

Elle lança une œillade sévère à Béatrice avant de prendre place devant le miroir et d'enseigner la suite de la chorégraphie.

La soliste se glissa au dernier rang. Elle ne désirait pas que son professeur remarque sa tristesse et la compare à Marjorie Fortin, trop sensible à son goût. Béatrice ne parvint pas à se concentrer sur les nouveaux mouvements à apprendre.

Que venait-il de se passer ? Était-on en train de lui montrer la porte ? Simone Bouvier était-elle sincère ? Julie était-elle aussi bonne qu'elle le prétendait ? Pourquoi l'encensait-elle ? Pourquoi n'accordait-elle pas tout de suite à cette élève le rôle de soliste? À moins que son professeur ne s'amuse à jouer la comédie pour la forcer à se surpasser…

Les doutes. Les questions. Que des anticipations approximatives. Que des réponses partielles. Que des rêves qui devenaient chaque jour plus douloureux.

Soudain, le studio s'évanouit. Les ballerines devinrent aussi floues que des spectres. La musique résonna sourdement, méconnaissable. La lumière se tamisa. Le sol se déroba sous les jambes flageolantes de Béatrice. Elle frémit comme une feuille dans le vent. Elle secoua la tête et tout revint à la normale. Sa respiration mit toutefois du temps à s'apaiser.

Encore un peu plus de pression sur ses épaules. Toujours un peu plus.

## Journal de Marjorie : 25 décembre…

*Tout s'est passé si vite que je suis encore tout excitée. Cette année, j'ai reçu plein de cadeaux de Noël, mais il y en avait deux qui en valaient mille à mes yeux.*

*D'abord le retour de mon père! Ce n'était prévu que pour demain, alors personne ne s'y attendait. Même pas ma mère. On était réunis au pied du sapin, pour le dépouillement. On attendait que sonne minuit. Et puis on a entendu un gros «Ho! ho! ho!» en provenance de l'entrée. Papa s'était déguisé en père Noël avec barbe, bedaine et grosse poche de cadeaux. On n'en revenait pas. Même Axel était ému. Je crois que pendant une seconde, mon frère a cru à la magie de Noël! On pleurait et on riait en même temps. Et papa aussi. Il n'a pas beaucoup changé, à part peut-être quelques cheveux gris en plus.*

*Ensuite... Ça non plus, je ne m'y attendais pas. Mon grand-père a communiqué avec une de ses amies espagnoles et, grâce à elle, il m'a fait venir des chaussures et une jupe de flamenco, avec des castagnettes, un éventail et des œillets artificiels pour décorer mes chignons! C'était trop cool! Je me suis dépêchée de les essayer et tout me va comme un gant! La famille avait du mal à me reconnaître tant ça me change. Et à la demande générale, j'ai exécuté quelques mouvements. Sur le tapis du salon, ce n'était pas commode. N'empêche..., mon grand-père n'arrêtait pas de crier ¡Olé! et ¡Qué guapa! Ça veut dire: comme tu es belle! Nous avons vécu une soirée parfaite en famille. C'est le plus beau Noël de toute ma vie!*

La nuit était calme. La famille dormait depuis une bonne heure. Marjorie, elle, veillait. Elle ne se résignait pas à enlever ses chaussures ni ses nouveaux vêtements de danse. Elle tournoyait devant le miroir et prenait des pauses typiques du flamenco. Oui, elle se trouvait belle. Et elle l'était. Quant à son poids, qui comptait toujours des kilos en trop, il lui faisait beaucoup moins mal. Elle aimait l'image qui se reflétait dans le grand miroir.

— La Demers en aura pour son argent, souffla-t-elle avec satisfaction. Et Thomas en aura plein la vue...

Derrière elle, appuyé contre le chambranle de la porte, son frère Axel l'observait à son insu en avalant un morceau de bûche de Noël.

## Liste « filles et vêtements » par Axel Fortin

- ✓ Chemisiers, pantalons.
- ✓ Manteaux, chapeaux.
- ✓ Chaussures, bottes.
- ✓ Sous-vêtements, bijoux.
- ✓ Des tonnes et des tonnes.
- ✓ Du neuf, du vieux, du recyclé.
- ✓ Garde-robe pleine à craquer.
- ✓ Garde-robe pas assez grande.
- ✓ Accumulation. Collection.
- ✓ Jamais rien à la poubelle.
- ✓ Même si ça fait plus.

— Vêtement de fille, deuxième peau, personnalité, mode d'expression, fierté, raison de vivre!

Axel, torse nu et en boxer, s'adonnait à son passe-temps favori : énerver sa sœur. Mais Marjorie refusa de se fâcher.

— Moi aussi, je t'aime, grand frère.

Il pouffa en essuyant le glaçage au coin de sa bouche.

— Bonne nuit, Axel.

Il la gratifia d'un signe de la main et disparut dans sa chambre. De nouveau seule, Marjorie consentit enfin à enlever la fleur de ses cheveux, à dénouer son chignon, à retirer son cache-cœur, ses chaussures et sa jupe à gros pois. Elle posa soigneusement le cadeau de Noël sur son bureau. Elle ne parvenait pas à quitter le costume des yeux.

Axel, alias « Ze List », avait raison : elle ressentait de la fierté. Elle se sentait légère.

Une neige fine et aérienne tombait, prenait son temps avant de tapisser le sol. La rue déserte, avec ses décorations toujours illuminées, ressemblait à une carte postale. Le temps semblait suspendu à ces flocons ouateux, à ces fragments de nuages qui se détachaient du ciel.

Chez les Demers, sous le sapin, deux cadeaux seulement attendaient qu'on les déballe, en ce matin de Noël. Béatrice préparait du pain doré aux raisins. Son père était rentré tard, la veille, mais il ne traînait jamais au lit pour autant.

De fait, sur le coup de neuf heures, il émergea de sa chambre et retrouva sa fille dans l'espace cuisine du loft.

## PUB POUR LES ACCROS DU TRAVAIL
**Un slogan de** Charles-Édouard Demers

L'avenir appartient à ceux
qui se couchent tard et qui se lèvent tôt,
même en vacances !

— Tu pourrais faire une exception, tu sais.

Il secoua la tête.

— Pour m'encroûter ? Pas question ! rigola-t-il.

Il perdit vite son air joyeux devant la tablée où les glucides étaient à l'honneur.

— Ne me dis pas que tu vas manger ça ! lui reprocha-t-il.

— Non, répondit-elle. C'est pour toi...

Et, joignant le geste à la parole, elle se prépara un bol de pamplemousse en quartiers nappés de yogourt nature. Rassuré, Charles-Édouard prit place à côté de sa fille et se délecta de son petit-déjeuner arrosé d'au moins un litre de sirop d'érable.

— Et puis, ton party ? le questionna-t-elle. C'était comment ?

— Il y avait du beau monde. Tu aurais halluciné sur les robes de Marie-Soleil et de Gigi. Tu te souviens des mannequins que je t'ai présentés l'autre jour ?

Béatrice acquiesça.

— Difficiles à oublier, renchérit son père. Elles sont si parfaites.

Il engouffra le reste du pain doré avant de jeter son dévolu sur une grosse tasse de café guatémaltèque rehaussé de plusieurs cuillérées de crème.

— Alors? fit-il au bout d'un moment pour briser le silence. Quand est-ce qu'on se les donne nos cadeaux?

— Pourquoi pas tout de suite?

À la vitesse de l'éclair, il revint avec les deux boîtes emballées. Il en offrit une à sa fille.

— Je crois que celle-là est pour toi, non?

Béatrice sourit. Ses doigts fluets s'empressèrent de griffer le papier. Elle découvrit, embossé dans le carton, le logo d'une prestigieuse boutique de mode. Encore un vêtement, déplora-t-elle en pensée. Comme si elle n'en avait pas assez, comme si son père ne savait pas quoi lui offrir d'autre. Pour un publicitaire, il manquait parfois d'imagination.

Elle ouvrit la boîte et repoussa le papier de soie. Sa main caressa le cuir. Souple, mince, léger. Elle déplia le pantalon.

— Qu'est-ce que tu en dis?

— Trop génial…, murmura-t-elle. Merci!

— Tu vas l'essayer?

Elle l'embrassa sur la joue et fila vers sa chambre. Là, elle retira son pyjama de coton et s'apprêta à faire glisser le cuir le long de ses cuisses quand l'étiquette du pantalon attira son attention.

Taille deux… Son père s'était-il trompé en achetant le vêtement? Il savait pourtant très bien, lui qui surveillait l'alimentation de sa fille, la taille qu'elle faisait.

Béatrice enfila néanmoins le pantalon. Coupe fuseau. Moulant. Très moulant. Comme une deuxième peau. Et la ceinture… un peu trop serrée. Elle réussit à remonter la fermeture Éclair, mais éprouvait de la difficulté à respirer.

Taille deux… Était-ce une erreur, une blague ou un message? L'adolescente ressentit un pincement au cœur.

Lorsqu'elle revint dans l'espace cuisine, son père enroulait autour de son poignet la montre Ralph Lauren qu'elle lui avait achetée.

— Elle est superbe, Béa! Mer…

Il s'étonna de voir sa fille toujours en pyjama.

— Le pantalon ne te va pas?

— Non, non…, mentit-elle. Il est trop parfait, vraiment! Je le garde pour ton prochain coquetel du bureau. Pour t'en faire la surprise…

— Alors, j'ai hâte! Tu seras la plus belle!

Il étreignit sa fille, lui souffla un rapide «je t'aime» et alla se doucher.

## Slam de Béa

*Les ennemis approchent,*
*Brandissant leur pioche.*
*Ils l'accrochent,*
*Ils l'embrochent*

*Tel un fantoche !*
*Aucune cloche*
*Sonne la fin des reproches.*
*Et sur les roches*
*Elle s'amoche.*

Béatrice soupira. Il lui restait trois semaines pour fondre d'une taille. À moins de mettre la main sur la facture du pantalon et de procéder à un échange.

Les patineurs glissaient sur la surface glacée aménagée dans le parc, autour du kiosque vert et jaune où un quatuor de cuivres divertissait la foule avec ses airs militaires. On riait, on se prenait par la main, on s'embrassait. Le temps des fêtes battait son plein et plusieurs profitaient des vacances pour s'oxygéner avant le retour à la vie étudiante ou professionnelle.

Béatrice s'essayait à une pirouette lorsque, prise de vertige, elle perdit l'équilibre et se retrouva sur les fesses, le bonnet de laine enfoncé jusqu'au nez. Un crissement de patins qui freinaient, tout près d'elle, souleva des confettis de neige. Elle releva sa tuque et aperçut une main tendue devant elle. Thomas Legault lui sourit.

— Le ballet et le patin, se moqua-t-il gentiment, ce n'est pas tout à fait pareil, hein ?

— Ouais, je m'en rends compte.

Il lui saisit la main et l'attira contre lui. Sa légèreté le déconcerta. La jeune fille secoua son pantalon.

— On fait quelques tours de piste? lui proposa-t-elle.

— Cool.

Ils patinèrent côte à côte pendant un bon quart d'heure. Parfois, leurs mains se frôlaient, se touchaient l'espace d'une seconde. Souvent, ils tournaient la tête pour s'adresser un timide regard ou un sourire nerveux.

Avec lui, Béatrice se sentait bien. Elle avait l'impression d'être différente, d'être une autre. D'être elle-même, peut-être. Avec lui, la pression, le stress, les attentes, tout s'envolait. Elle respirait mieux.

Oui, le seul fait de penser à Thomas créait en elle quelque chose qu'elle avait peu connu, une sorte d'harmonie qui l'enveloppait et la tenait au chaud. Sans savoir pourquoi, elle pensa à sa mère.

— Je dois bientôt partir, annonça le garçon.

— Dommage, ne put-elle s'empêcher de lui répondre.

Thomas stoppa près d'un banc et s'assit. Avant de retirer ses patins, il invita Béatrice à ses côtés. Elle obéit.

— J'ai un rendez-vous avec une fille, l'informa-t-il.

Le visage de Béatrice se chiffonna.

— Elle est chanceuse, cette fille.

Thomas baissa la tête et haussa les épaules. Il hésitait. Depuis des mois, sa tête s'emplissait des sourires de Marjorie et de la beauté de Béatrice. Depuis des mois, il ne parvenait pas à départager ses sentiments. Il les observait de loin, sans oser s'approcher trop longtemps. Laquelle choisir?

Il enleva ses patins et les mit dans un sac de sport, remit ses bottes et sauta sur ses pieds.

— On se voit bientôt, la salua-t-il en l'embrassant sur la joue.

Il s'éloigna au pas de course.

Béatrice était toute chamboulée. Thomas allait peut-être lui filer entre les doigts. Qui était donc cette autre fille?

— Sûrement pas Marjorie…

La ballerine resta longtemps sur place, perdue dans ses pensées, à toucher du bout des doigts sa joue, juste là où Thomas avait déposé un baiser.

# 5

## *Caña...* ainsi sont les choses

*El libro de la experiencia*
*No sirve al hombre de na'*
*Al final viene la letra*
*Y nadie llega al final*

Elle avait préparé le discours qu'elle tiendrait à la conseillère en vente. Après tout, on la disait éloquente et on ne l'avait pas élue présidente des élèves de quatrième secondaire pour rien. Elle réglerait donc son problème sans que son père se doute de la transaction qu'elle s'apprêtait à effectuer.

— Bonjour, dit-elle à la jeune femme derrière le comptoir-caisse. J'aimerais échanger un article que j'ai reçu en cadeau à Noël.

— Bien sûr. La raison de l'échange?

— Une taille trop petite.

La conseillère en vente sortit le pantalon de cuir de la boîte-cadeau qui portait le logo de la boutique. Le vêtement griffé exhibait encore l'étiquette de vente, sans le prix. Elle le vérifia avec minutie et commença les procédures d'échange. Béatrice ne put s'empêcher de sourire. L'affaire se déroulait à merveille.

— Vous avez votre facture ?

— Mon père l'a perdue.

— Je ne peux rien faire, annonça la caissière.

— Il m'a prêté sa carte de crédit.

— Je suis désolée. Ça prend la facture, s'excusa la commis avant de lire le nom indiqué sur la carte. Ah, monsieur Demers ! C'est un excellent client !

Le ton soudain enthousiaste de l'employée de la boutique fit craindre le pire à la jeune cliente. Lors de la prochaine visite de Charles-Édouard Demers, risquait-on de lui parler de l'échange ? Béatrice éprouva l'envie urgente de quitter les lieux.

— Je pourrais faire exception, mais... je crois qu'il ne nous reste même plus de taille quatre...

Elle invita Béatrice à la suivre jusqu'au rayon des articles de cuir. Là, elle tria les pantalons, vérifia les étiquettes, puis offrit à la cliente une moue peinée. L'évidence sauta aux yeux de l'adolescente. Elle était bel et bien prise avec la fichue taille deux.

— Est-ce qu'il y aurait, par hasard, une autre boutique où je...

— Malheureusement, nous ne sommes pas une chaîne. Et je ne connais pas le nom des autres dépositaires de la marque.

Le cœur gros, Béatrice retourna au comptoir de la caisse, attrapa la boîte-cadeau et sortit du magasin sans un bonjour. Qu'allait-elle faire maintenant? Où pouvait-elle dénicher un pantalon semblable? Elle n'en avait aucune idée. Même en fouillant et en trouvant un point de vente sur Internet, elle n'aurait toujours pas de facture à présenter. En acheter un autre, alors? Elle avait entrevu le prix pendant que la vendeuse comparait les étiquettes. Elle n'avait pas les moyens de dépenser autant d'argent.

Elle emprunta le corridor qui menait aux toilettes des dames. Près des téléphones publics, elle se laissa choir sur un banc.

Un accroc? Et si elle racontait à son père qu'elle ne pouvait pas porter le vêtement parce qu'il avait un accroc? Mauvaise idée, conclut-elle. Il courrait en chercher un nouveau et la vendeuse de la boutique lui dirait qu'elle avait vu sa fille quelques jours plus tôt qui essayait d'obtenir une taille plus grande, qu'elle avait inspecté elle-même le pantalon et qu'elle ne lui avait vu aucun défaut... Encore une fois, il saurait tout.

Un long sanglot remonta en elle. Des larmes glissèrent sur ses joues. Des larmes de dépit. De résignation aussi.

Il lui restait deux semaines avant le coquetel. Deux semaines pour perdre l'équivalent d'une taille. Deux semaines pour que la ceinture du pantalon ne lui coupe plus le souffle. Béatrice était déjà très mince et mangeait fort peu. Aussi bien dire deux semaines infernales à ne rien avaler ou à tout vomir.

Elle toucha la boîte de carton posée à côté d'elle sur le banc.

— Tu parles d'un cadeau empoisonné!

Ce soir-là, pour le premier cours de la nouvelle année, Marjorie arriva quinze minutes en avance. Seule dans le studio de danse, elle avança face à l'immense miroir. Ses chaussures cloutées marquaient son allure. Elle stoppa, puis tourna sur elle-même dans un tourbillon de volants et de couleurs. Elle sourit, satisfaite de l'image en mouvement qu'elle projetait et qui lui revenait. Elle avait l'impression de se tenir plus droite, de bomber un peu plus la poitrine, de ressembler à ces figures mythiques qu'elle apprenait à connaître grâce aux nombreux clips visionnés sur YouTube. Oui, l'habit faisait le moine.

Les autres élèves du cours de flamenco firent à leur tour leur entrée. Elles remarquèrent tout de suite Marjorie qui étrennait avec fierté ses cadeaux de Noël.

— Eh! Superbe jupe! lui décocha l'une d'elles.

— Oh, et chaussures neuves en plus! renchérit une autre.

— Le père Noël a été généreux avec toi, ma belle enfant! la taquina une élève.

Le sourire de l'adolescente perdit de son éclat. Elle n'apprécia guère ce commentaire qui lui rappelait qu'elle était la plus jeune de la classe, et la petite dernière. Puis, une remarque lui parvint du fond du studio.

— Elle est déjà prête pour le spectacle de fin d'année, à ce que je vois!

Quelques rires fusèrent. Marjorie baissa la tête. Des jaloux, il n'y en avait pas qu'en ballet classique. Elle dut cependant s'avouer qu'elle en avait peut-être un peu trop fait. Chignon, fleur, maquillage, créoles, jupe à pois, cache-cœur et chaussures suédées rouge vif... c'était le parfait attirail de la danseuse flamenca professionnelle. Pas celui d'une élève débutante. C'était aussi un habit de scène, pas celui de simples répétitions devant un miroir.

Elle regretta son enthousiasme. D'un mouvement discret, elle enleva la fleur artificielle de son chignon et se mit à redouter les observations publiques de son professeur. Paolina n'était toutefois pas ce genre-là. Lorsqu'elle franchit la porte du studio, elle lança un joyeux ¡*hola!*, fit mine de ne s'apercevoir de rien et commença le cours avec la traditionnelle séance de réchauffement.

Puis, à la pause, celle-ci invita sa jeune élève à s'approcher.

— Tu es très belle, reconnut-elle.

— Je crois que je suis un peu trop intense, des fois, reconnut l'adolescente. Je n'y vais pas avec le dos de la cuillère, comme on dit.

Paolina rit de bon cœur et l'adolescente l'imita.

— Ne t'en fais pas, va, la rassura-t-elle. Les élèves sont toujours fières d'exhiber leurs nouvelles acquisitions. Tu n'es pas bien différente d'elles, tu verras.

Et elle lui adressa un clin d'œil complice.

— En ce qui concerne tes cours privés et la *soleá por bulería*...

— Je suis toujours partante !

— Je n'en doute pas, par contre je me demandais si tu voulais les suivre pour les bonnes raisons.

— Je ne comprends pas.

— J'ai appris pour tes cours de ballet, lui révéla Paolina.

— Appris quoi au juste ? se braqua soudain Marjorie.

Le professeur mit la main sur l'épaule de l'adolescente.

— Calme-toi, lui demanda-t-elle d'une voix douce.

Marjorie eut envie de la repousser. Qui lui avait donc parlé d'elle ? Pourquoi ? En quelles circonstances et en quels termes ? Était-ce Simone Bouvier ? Béatrice Demers ? Ou une autre élève de la classe de ballet ? Si jamais elle l'apprenait, elle...

— J'ai discuté au téléphone avec ta mère.

La jeune danseuse tomba des nues. Sa mère! De quel droit celle-ci se permettait-elle de discuter avec son prof? Même si ses parents payaient ses cours, cela ne les autorisait pas à se mêler de ses affaires ni à déblatérer à son sujet.

— Je crois que tu vivais beaucoup de pression avec le ballet, pas vrai?

Marjorie, trop furieuse pour prononcer le moindre mot, se contenta de plisser les yeux.

— Je crois, poursuivit Paolina, et ce n'est que mon humble avis, après tout, je ne te connais pas encore beaucoup... mais j'ai l'impression que tu aimes bien ça, au fond, la pression. Tu t'en mets beaucoup sur les épaules avec ce concours de talents. Tu veux être la meilleure.

Le regard de l'adolescente se rembrunit. Paolina semblait tout savoir d'elle.

## Recette de la réussite Quatre-P / Quatre-quarts par Marie-Paule Hébert, alias ⌈aolina

Ingrédients en quatre quantités égales :
Passion – Patience – Persévérance – Plaisir

Préparation :
Avec la Passion, aime toujours ce que tu fais, peu importe où tu le fais et fais-le avec soin et précision.

Incorpore-la ensuite à la Patience dont il faut toujours s'armer. Ne saute jamais les étapes sous prétexte de

115

vouloir aller plus vite. Chaque étape représente un apprentissage qui garantit l'accès à l'échelon suivant.

Larde ton projet de Persévérance: il risque de ne pas se réaliser du premier coup ou il peut prendre des tournures inattendues. Respecte les apprentissages que tu dois accomplir et qui te font grandir. Tiens bon malgré les obstacles et les défis.

Enfin, n'oublie pas de saupoudrer ton projet de Plaisir. Trouve toujours au moins un aspect positif à ce qui arrive.

«Une autre qui me fait la morale», se rebiffa Marjorie. Les appréhensions de Caroline Saint-Gelais envahissaient maintenant les loisirs de sa fille. Elle aurait aimé qu'on lui fiche la paix, qu'on la laisse vivre, respirer. Et danser. Car il n'y avait rien de plus important à ses yeux que de se laisser porter par la musique et de vibrer avec elle, grâce à elle, pour mettre en mouvements et interpréter ce qu'elle signifiait à ses yeux.

— J'ai l'impression d'entendre ma mère!

— Je te parle en amie.

— Je croyais que les amis n'étaient pas là pour juger, mais pour nous accepter tel qu'on est.

— Ils sont aussi là pour aider, pour aimer, pour soutenir.

Non, Paolina ne ressemblait pas du tout à Simone Bouvier. Ses interventions se révélaient douces et généreuses. Marjorie pouvait se reposer sur elle.

D'un autre côté, le professeur faisait-elle vraiment confiance aux choix de son élève?

— Je ne voudrais pas que le flamenco devienne une béquille juste parce que tu crois que tu ne peux plus danser le ballet classique, ajouta Paolina.

— C'est ma décision, affirma Marjorie d'un air buté. Je le fais pour moi.

— Danser, oui, je n'en doute pas. Qu'en est-il, par exemple, du concours? Le ballet, ce serait beaucoup plus facile que le flamenco.

L'adolescente baissa le front. Elle y participait pour elle, bien sûr, et aussi pour remettre à sa place Béatrice Demers. Ce stress supplémentaire qu'elle s'infligeait ne lui procurait bien sûr aucun réel plaisir. Au contraire, il lui rappelait et nourrissait sans cesse la colère, la frustration et le désir de vengeance qu'elle éprouvait à l'égard de sa rivale.

Il lui manquait ainsi un des quatre ingrédients de la recette de Paolina. Où le dénicherait-elle?

L'arcade jouxtant la salle de cinéma était pleine à craquer. Des jeunes surtout la fréquentaient. Ils s'y donnaient souvent rendez-vous avant d'aller visionner le dernier film à l'affiche. Thomas Legault s'entretenait avec trois de ses coéquipiers du soccer près du comptoir de friandises. En fait, il écoutait ce que ses amis racontaient. Il analysait et soupesait chaque mot, chaque mouvement de leur corps, chaque émotion, chaque pensée qu'il croyait deviner.

— Belle *chick*!

— Moi, en tout cas, je ne dirais pas non!

— Tous les gars ont l'œil dessus!

— Libre?

— Paraît.

— C'était qui le dernier en lice?

— Un gars du privé. Ça m'arrive de le voir dans le bus. Paraît que la Béatrice, elle est pas mal partante, genre. Eh Leg, tu ne dis pas grand-chose!

En entendant son surnom, Thomas approuva pour la forme.

— Tu as des cours avec Béa Demers, non? Elle est comment?

— Cool, répondit simplement le réalisateur en herbe.

La réponse fétiche du garçon fit sourire ses compagnons. Pour faire dévier la conversation, le jeune réalisateur sortit un carnet dans lequel il inscrivit quelques mots.

— Encore en train d'écrire un scénario?

— Si on veut. C'est comme des fragments dans la vie d'un gars.

— Et ça parle de filles, aussi?

— C'est sûr...

## UNE HISTOIRE DE GARS
## Un scénario de Thomas Legault

### SÉQUENCE 7 : LA FILLE PARFAITE
### EXTÉRIEUR. ENTRÉE PRINCIPALE, ÉCOLE – JOUR

Des élèves du secondaire et des professeurs vont et viennent devant l'entrée de l'école. Une jolie fille mince (Fille 1) s'amène, accompagnée de son amie (Fille 2), jolie aussi, mais un peu boulotte. Des gars sifflent la première.

FILLE 2 *(insultée, en parlant des gars)*

Quels cons !

FILLE 1 *(flattée)*

Laisse-les faire…

### INTÉRIEUR. ALLÉE DE CASIERS – JOUR

Filles 1 et 2 laissent leurs sacs dans leur casier.

FILLE 2 *(curieuse)*

Alors ? C'était comment ?

FILLE 1 *(heureuse)*

Magique ! Tellement !

FILLE 2 *(incrédule)*

Tu l'as fait ? Je veux dire…

FILLE 2 *(chuchotant)*

…au complet ? ? ?

FILLE 1

Qu'est-ce que tu crois, là ?

Ne me dis pas que… pas toi ?

FILLE 2
J'étais bien trop gênée de me déshabiller !
FILLE 1 *(incrédule)*
Tu veux dire que... jamais ?
Fille 2 secoue la tête.
FILLE 1 *(fière)*
Eh bien, tu manques quelque chose !

Ses coéquipiers apprécièrent la scène qu'ils imaginaient fort bien dans leur esprit. Mais l'un d'eux ne se laissa guère impressionner.

— Ce n'est rien que du vent, tes histoires, Leg. Reviens sur terre et puis agis !

— De quoi tu parles ? répliqua Thomas.

— Tes *chicks*, tu nous en parles, tu nous les décris... Mais on ne les voit jamais, genre.

— Genre quoi ?

Ses amis formaient maintenant un bloc d'opposition devant lui et le défiaient dans un silence lourd de reproches.

— Des preuves, *man*, décréta encore le mutin. On veut des preuves.

— Ouais, en rajouta un autre. Sinon, on va finir par croire que tu es fif.

La bande approuva. Thomas soutint le regard accusateur et méprisant de ses trois amis. Quels cons ! pesta-t-il en son for intérieur.

— D'accord, dit-il en commençant cependant à s'éloigner. Vous en aurez...

Il n'avait qu'une envie : couper court à la conversation et se retrouver dans l'obscurité de la salle de projection.

Marjorie referma la porte de son casier et aperçut Thomas qui passait au bout de l'allée.

— Salut, Thomas ! Ça va ? ne put-elle s'empêcher de prononcer un peu trop fort à son goût.

— Cool. Toi ?

— Oui, ça va. Je… je voulais te remercier pour le café, pendant les vacances de Noël. C'était… cool.

Il la dévisageait avec intensité, comme s'il essayait de lire en elle, de lever le voile sur ses sentiments et ses pensées. Car il était bien placé pour savoir que de la pensée à la parole, et que de celle-ci au geste, il y avait un vaste monde de possibilités, de contradictions, de faux-semblants, de mensonges.

— Je me disais que… qu'on pourrait peut-être remettre… ça…

Thomas sourit.

— Ce soir… ma mère a un truc de bénévolat. On pourrait… écouter un film chez moi… On serait tranquilles.

C'était la première fois que Marjorie entendait le garçon énoncer d'aussi longues phrases et en

121

aussi grand nombre. Et sans dire le mot « cool ». Le changement d'attitude l'intimida. L'invitation, pour le moins directe, la désarçonna. Elle voulait certes répéter la scène du baiser de la Saint-Jean-Baptiste, mais elle tenait à prendre son temps pour le reste, même si Thomas correspondait au garçon de ses rêves.

— Je pensais qu'on pourrait aller au cinéma, répondit-elle pour donner le change.

La première cloche annonçant le prochain cours retentit au-dessus d'eux.

— On s'en reparle…

Il s'éloigna d'un pas vif. Marjorie ne le revit hélas plus de la journée. Si bien que de retour chez elle, elle ignorait à quoi ressemblerait sa soirée.

## Journal de Marjorie : le 10 janvier…

*Qu'est-ce que ça veut dire ? Parce que ça signifie quand même quelque chose, non ? Je veux dire… l'invitation de Thomas, c'est du positif ! Alors pourquoi est-ce si difficile entre nous ? Pourquoi on se parle, on se voit si peu souvent ? Est-ce un signe ? Genre du destin ? Sauf qu'il me plaît et, apparemment, je lui plais aussi s'il me donne des rendez-vous. D'accord, ça tombe à l'eau deux fois sur trois, mais l'intention est bien là.*

*Fudge !*

*J'écoute à l'occasion des films de filles. Assez souvent, l'histoire d'amour qui se développe entre le gars et la fille*

122

*tourne autour d'un stupide malentendu qui les empêche de vivre heureux dès le départ. Et à la fin, on se dit : « Ah ! ces deux-là auraient dû se parler bien avant. » Mais alors, il n'y aurait pas eu de film...*

*Bon, qu'est-ce que je fais ? Dois-je lui avouer que je pense à lui autant qu'à la danse ? Rien qu'à m'imaginer devant lui sur le point de faire ma déclaration, j'en ai les mains moites. Et s'il me les prenait, il ne trouverait pas ça agréable, je crois.*

Son iPhone vibra. Un texto venait de s'afficher sur le petit écran. Elle délaissa son journal intime.

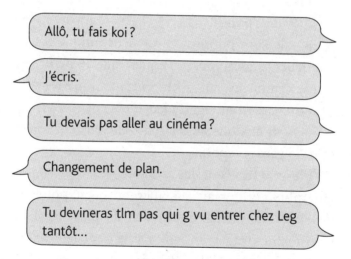

Allô, tu fais koi ?

J'écris.

Tu devais pas aller au cinéma ?

Changement de plan.

Tu devineras tlm pas qui g vu entrer chez Leg tantôt...

Clara, cette ancienne camarade du ballet classique, fréquentait la même école que Marjorie et habitait à deux maisons de celle de Thomas.

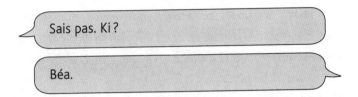

Sais pas. Ki ?

Béa.

Marjorie écarquilla les yeux. Avait-elle bien lu ? Clara avait-elle bien tapé ? Comment Thomas pouvait-il lui faire un coup pareil ? À elle ? Et avec Béatrice ?

Tjrs là, Jo ?

Elle ne répondit pas et referma l'appareil. Du coup, elle eut l'impression que leur unique baiser, que leurs rendez-vous manqués, que le petit café pris ensemble au cours des vacances, que les sourires du garçon ne signifiaient rien.

— À moins que…, souffla-t-elle en se permettant de garder espoir.

Thomas et Béatrice avaient quelques cours ensemble. Elle avait dû aller chez lui pour un devoir de mathématiques. Rien de plus. Rien de bien malin. Tout le monde savait pour leur baiser de la Saint-Jean. Puis, Béatrice était sa rivale. Si celle-ci décidait de mettre le grappin sur le garçon pour l'exaspérer davantage ? Marjorie avait-elle une chance contre la plus belle fille de l'école ? Si mince et si populaire ? Elle n'en était pas convaincue.

Quoi qu'elle fasse, Béatrice Demers se trouvait toujours dans les parages. À croire qu'elles étaient des sortes de siamoises. Marjorie sentait sa cause perdue d'avance. Elle n'avait plus envie de se battre contre sa rivale. Elle en avait d'ailleurs assez de passer son temps à penser à cette chipie. Paolina avait raison : dans ce genre d'aventure, le plaisir n'existait jamais.

Abandonner la partie, comme elle l'avait fait pour le ballet classique. Avant d'avoir trop mal. C'était sûrement ce qu'elle avait de mieux à faire.

Tout tourbillonnait.

À chaque tour, le mouvement de sa tête perdait de sa précision. Ses yeux dévièrent du point de repère qu'ils fixaient afin de garder l'équilibre précaire de la pirouette. Ses bras et ses jambes devinrent de coton. Elle se sentit peu à peu déportée de la ligne formée par les ballerines. Elle tangua, ses chevilles se relâchèrent, ses talons s'affaissèrent. Pourtant, elle continuait de tourner, comme maintenue par la force de rotation.

Son regard s'embrouilla. Elle ne vit plus que des silhouettes floues, que des spectres malingres qui s'écartaient d'elle pour la laisser passer. Alors, Béatrice perdit pied. Son genou droit fléchit. Elle tomba sur le sol tandis que la musique s'interrompait sur une fausse note et que Simone Bouvier, suivie des autres danseuses, accourait.

La jeune fille dodelina. Son professeur lui administra deux gifles sur les joues. Le corps de Béatrice réagit mollement.

— Une bouteille d'eau, commanda Simone. Vite!

Dès qu'on lui en apporta une, elle fit boire son élève. Celle-ci toussota et s'essuya la bouche du revers de la main. Elle tremblait comme une feuille, le regard vitreux, absent.

— Nom de Dieu, Béa! Que se passe-t-il?

Son cœur battait la chamade sans vouloir se calmer. Le studio de danse et les silhouettes informes dansaient toujours autour d'elle. Puis, au bout d'une longue minute, Béatrice retrouva ses esprits. Elle s'étonna de se voir assise par terre, entourée de la classe.

— Qu'est-ce qui est arrivé? demanda l'adolescente, encore frémissante.

Simone Bouvier renfila ses habitudes sévères et austères.

— À toi de me le dire! Tu m'as foutu une de ces frousses!

Béatrice baissa la tête. Elle n'avait jamais encore éprouvé des vertiges aussi puissants. Néanmoins, elle connaissait l'origine de son malaise. Elle n'avait aucune envie d'en parler de peur qu'on la presse de questions, que son professeur se mette en tête de la sermonner. D'ailleurs, Simone Bouvier n'avait plus de temps à perdre à formuler des manifestes pour des oreilles ingrates qui ne comprenaient pas l'importance de ce qu'elle prônait.

Dans le regard du professeur brillait une lueur sombre, pleine de doutes. Sans un mot, Béatrice sut que Simone se demandait si elle était la danseuse parfaite pour tenir le rôle de soliste dans sa nouvelle chorégraphie.

Si ça continuait ainsi, elle serait mise au ban de l'école. Comme Marjorie Fortin.

Musique forte, techno à plein volume. Habits sexy et griffés, beaux sourires, gratin. Alcool et amuse-gueules à volonté. Les coquetels de Charles-Édouard Demers figuraient parmi les plus courus en ville.

Béatrice participait à sa première sortie mondaine au bras de son père. Elle n'avait pas l'âge, certes, mais personne ne s'en souciait. Talons hauts, chevelure relâchée, elle exhibait fièrement son pantalon de cuir et un chemisier de soie noir. Les regards s'attardaient souvent sur elle. Son père ne la quittait pas d'une semelle. Il la présentait à ses invités, surtout à ses amis propriétaires d'agences de *casting* et de mannequins. On lui souriait, on la complimentait, on lui demandait à quels passe-temps elle s'adonnait, on s'intéressait à elle et on ne semblait pas vouloir la fuir parce qu'elle n'était qu'une adolescente. Puisque les carrières en danse étaient de courte durée, et que Simone Bouvier lui montrerait la porte si un nouvel incident survenait, elle se disait qu'elle aurait sans doute plus de chance de percer ailleurs dans le monde des arts.

Au cours de la réception, elle but une flûte de champagne, mais refusa de manger la moindre bouchée. Si bien qu'elle se sentit vite grisée. Elle se dirigea vers les toilettes, s'aspergea le visage d'eau puis alla se soulager dans un cabinet. La porte de la pièce s'ouvrit, quelques dames entrèrent, accompagnées de la forte musique techno. La porte se referma pour laisser entendre la discussion entamée plus tôt dans le resto-bar qui surplombait le centre-ville.

— Il paraît qu'il veut en faire une vedette.

— Pourquoi pas? Elle est mignonne et intelligente.

Béatrice, toujours dans le cabinet, retint son souffle. De qui parlait-on? Elle raffolait des potins et tendit l'oreille.

— Deux kilos en moins et peut-être que Béa pourrait devenir mannequin. Je dis bien peut-être. Je sais de quoi je parle.

Toujours cachée, l'adolescente sentit toutes les fibres de son corps se tendre à l'extrême. C'était donc elle, le sujet de la conversation!

— Compte tenu de ses origines, c'est déjà un miracle qu'elle ressemble à ça.

— Ses origines ?

Béatrice fronça cette fois les sourcils en reconnaissant la voix de Marie-Soleil. À la maison, son père ne parlait plus que d'elle. Qu'est-ce que cette mégère voulait dire par « origines » ?

— La mère de Béa, enchaîna la potineuse, elle était… grosse.

— Une petite amie de Charles-Édouard ? Grosse ?

— J'ai du mal à y croire…

L'adolescente mit une main tremblante sur son cœur palpitant. Sa mère… Marie-Soleil savait des choses au sujet de sa mère.

— En fait, ce serait plus juste de dire obèse, martela Marie-Soleil sans se douter qu'on écoutait chaque mot de la conversation. Quelque chose comme une taille seize ou dix-huit. Vous vous rendez compte ?

Quelques « oh ! » incrédules jaillirent.

— Le pire, dans tout ça, c'est qu'ils n'ont pas vraiment vécu ensemble.

— Explique-toi, Marie-So.

— Oui, on veut savoir.

— C'est pas compliqué, leur apprit Marie-Soleil. La baleine s'est fait faire un enfant et Charles-Édouard a bien été obligé de reconnaître sa fille quand l'autre est morte d'un cancer…

— N'empêche, intervint l'une des femmes avec un certain scepticisme. La petite n'est pas née de l'opération du Saint-Esprit. Charles-Édouard devait bien l'apprécier un peu, cette baleine, comme tu dis…

— Selon ce que j'ai entendu dire, tu n'y es pas du tout! Attends…

Marie-Soleil termina son récit, dévoilant un secret qui ne lui appartenait pas.

Béatrice écouta malgré elle ce que son père n'avait jamais consenti à lui révéler. Elle voulait savoir, elle aussi, mais craignait une douleur encore plus vive.

Dans le cabinet étroit, elle resta assise longtemps après que les pies s'en furent allées. Le visage dans les mains, les larmes abîmant son maquillage, le nez et les yeux rougis, elle se demandait de quelle façon elle réussirait à sortir de là sans attirer l'attention, sans que son père la bombarde de questions. Plus elle hésitait, plus elle entendait la voix de cette femme, de cette Marie-Soleil, raconter une partie du passé de ses parents, une partie de sa conception à elle… Cette histoire était-elle vraie? Qui avait bien pu colporter toutes ces insanités? Son père l'aimait-il vraiment?

## Slam de Béa

*Paroles trompeuses,*
*Paroles amères,*
*Qui me rendent soucieuse…*
*Quelle vie de misère!*

> *Sa tendresse obséquieuse*
> *Et ses manies légendaires*
> *Sont toutes frauduleuses !*
> *C'est un vrai calvaire !*
> *Car de ma fragilité douloureuse*
> *Mon débile de père*
> *Toujours me rend merdeuse.*
> *Et moi, je cherche quoi faire...*

Elle déclamait les strophes avec véhémence, presque l'écume à la bouche.

— Endure, pauvre malheureuse, grogna-t-elle à son reflet dans le miroir. Il n'y a rien à faire…

— Est-ce que ça va bien ? lui demanda l'une des femmes invitées du coquetel en remarquant ses yeux rougis.

Béatrice sortit son iPhone de son petit sac à main.

— Je viens d'apprendre une mauvaise nouvelle par texto.

— J'espère que ce n'est pas trop grave…

L'adolescente la dévisagea. La femme se montrait-elle gentille parce qu'elle était la fille de Charles-Édouard Demers, ou bien parce que la terrible rumeur sur ses *origines* circulait déjà parmi les invités, dans l'autre pièce ?

— Vous savez ce qu'on dit. Il faut continuer d'avancer dans la vie…

La femme approuva d'un sourire discret et Béatrice s'en retourna à la réception. Elle alla se planter devant la grande baie vitrée qui embrassait le centre-ville, préférant tourner le dos aux invités et ainsi ne pas attirer sur elle leur attention. Ni celle de son père.

# 6

## *Jaleos...* à contretemps

*¡ Olé!*
*¡ Eso es!*
*¡ Vamaya!*
*¡ Dale, guapa!*

**Journal de Marjorie : 7 février...**

*La Saint-Valentin approche. La fête des amoureux en fait rêver plus d'un et je n'y échappe pas. J'ai beau avoir décidé de ne plus m'acharner sur Thomas Legault, je ne pense qu'à lui. Comment oublier le garçon idéal ? Et toujours libre en plus. Béatrice Demers n'a pas encore gagné son cœur. Ça me redonne espoir. S'il hésite, c'est peut-être parce qu'il en a une autre dans l'œil... Oui, ça se pourrait. Alors, je devrais foncer. De toute façon, je n'aurais pas dû m'en laisser imposer juste parce que la Demers rôdait dans les parages. Chocolat ! Depuis quand je joue à la petite fille soumise, moi ?*

*Depuis que je suis... grosse. Depuis que la vipère s'amuse à me le rappeler, surtout. Mais il semblerait que Thomas*

*n'apprécie pas tant que ça les chicots. Alors, saisis ta*
*chance, ma vieille! Sinon tu vas encore être seule le soir de*
*la Saint-Valentin...*

Elle referma son journal et prit son iPhone.
Écrire un texto. Une déclaration d'amour, sans
flaflas fleur bleue. Pour ne pas effrayer ni éloigner
davantage Thomas. Un mot pour lui rappeler qu'elle
était toujours là.

Ses pouces suspendus au-dessus du petit clavier
attendaient le mot juste. Elle cherchait la manière
parfaite de commencer. Après de longues minutes
de réflexion, elle ébaucha un premier jet qu'elle
relut à maintes reprises. Elle effaça ici et là des
mots ou des phrases entières, modifia la formula-
tion, ajouta des synonymes, élimina les adjectifs et
les adverbes superflus, épura son style afin de ne
garder que l'essentiel du message qu'elle souhaitait
transmettre.

> Depuis la Saint-Jean, je ressens + que de l'amitié
> pour toi. Est-ce la même chose de ton côté?

Elle passa en revue la dernière version de son
texto. C'était court, direct et clair, mais pas cucul.
Elle ne lui avouait pas son amour; elle en émettait

la possibilité. Elle ne le suppliait pas de l'aimer ; elle le laissait plutôt libre de décider. Et puis, d'une certaine manière, elle montrait son indépendance. À bien y penser, il s'agissait du mot le plus parfait qu'elle pouvait concevoir et destiner à un garçon.

Envoyer le texto… Étape cruciale, beaucoup plus délicate. Marjorie ferma les yeux.

« Advienne que pourra ! »

Alors, son pouce enfonça la touche et le message se retrouva instantanément dans le téléphone de Thomas.

Marjorie se rendit au premier cours de la journée. Puis au deuxième. Pendant les deux périodes, elle gardait la main rivée sur son iPhone, sous son pupitre, dans l'attente d'une réponse. À toutes les pauses, elle se précipitait à son casier dans l'espoir d'y surprendre celui qu'elle aimait. Après tout, il préférerait sans doute lui annoncer la bonne nouvelle de vive voix. Elle y passa aussi toute l'heure du dîner. En vain. « Il va sûrement m'appeler ce soir, songea-t-elle. Ou venir chez moi. » C'était plus discret.

Comme elle allait quitter son casier pour se rendre aux cours de l'après-midi, Thomas se pointa enfin le bout du nez. Marjorie retint son souffle, incapable de détacher son regard du garçon. Il remonta l'allée encore bondée. Il approcha. Elle sourit. Il la dépassa pour disparaître à l'autre bout.

La jeune fille fronça les sourcils. Autour d'elle, quelques ricanements retentirent.

— Il paraît qu'elle lui a écrit un texto! rapporta un élève.

— Elle pensait avoir une chance ou quoi? se gaussa un autre.

— Il paraît que Leg la trouve trop grosse.

— Elle doit être la seule à ne pas savoir qu'il sort avec Béa!

Marjorie chancela. Sa vue s'embrouilla.

Trop grosse... Il sort avec...

Pas possible! Comment n'en avait-elle rien su? Comment avait-elle pu croire en ses chances de le conquérir? Comment avait-elle été sotte au point de lui envoyer un texto, d'écrire noir sur blanc ce qu'elle ressentait? Il avait dû le montrer à tous ses amis! Devenue la risée de l'école, elle eut envie de se terrer dans son casier.

Puis, les rires et la rumeur des autres élèves s'estompèrent. Les jeunes se dispersèrent un peu pour laisser la voie libre à une nouvelle venue: Béatrice Demers. Celle-ci stoppa à deux centimètres du nez de sa rivale. Dans l'allée, on les observait à la dérobée, on tendait l'oreille pour ne rien manquer de l'altercation sur le point de naître.

— C'est quoi, cette histoire de texto? Tu voudrais bien laisser mon petit copain tranquille? Il n'est pas disponible.

— Je... suis désolée. Je... ne savais pas..., bégaya Marjorie.

— N'importe quoi, riposta Béatrice. Tu voulais me le piquer, hein?

— Non..., mentit sa rivale d'un air penaud.

— Arrête de dire des conneries, Marjorie Fortin. Je te connais tellement. Je sais de quoi tu es capable pour arriver à tes fins.

L'accusatrice parlait d'une voix maîtrisée. Sans emportement, sans énervement, presque sans émotion hormis le désir de l'acculer au mur.

— Tu n'es qu'une jalouse, martela-t-elle de nouveau. Tu l'as toujours été.

Marjorie sortit enfin de sa léthargie.

— Non mais, regardez qui parle! s'emporta-t-elle.

La première cloche annonçant le retour en classe retentit. Les deux filles ne bronchèrent pas. Elles se dévisageaient comme des chiens de faïence. Autour d'elles, les élèves rechignaient à regagner leur local.

— C'est toi, la jalouse! asséna Marjorie. C'est toi qui as toujours voulu être comme moi, qui as toujours voulu ce que je voulais! Tu n'as aucune personnalité, Béatrice Demers! Tu es peut-être belle et bien faite, mais tu n'es qu'une coquille vide!

Le temps filait. Les deux rivales ne voyaient plus que leur colère. Tout explosait en elles. Elles se fichaient de l'heure qui passait et des témoins qui s'éloignaient à contrecœur. Puis, la seconde cloche résonna. Les retardataires partirent en courant.

Marjorie et Béatrice continuaient cependant de s'insulter.

— Je ne suis pas jalouse d'une grosse, tu sauras.

— J'ai eu Thomas avant toi et ça, tu ne le prends pas !

— Ah oui, tu l'as eu avant moi ? Tu parles du fameux baiser de la Saint-Jean, là ? Pfft ! Tu l'as eu pendant quoi ? Deux minutes ? Wow !

— Je l'ai eu quand même, soutint Marjorie avec moins d'aplomb.

— Génial. Et depuis, hein ? Eh bien, tu n'as rien eu du tout parce que c'était une erreur, ce baiser. Une erreur de parcours, de jugement, de la nature… Appelle ça comme tu voudras. Thomas ne t'aime pas. Il ne t'a jamais aimée. Parce que sinon, tu serais à ma place, genre.

— C'est toi, l'erreur de la nature ! conclut Marjorie, le regard embrumé.

Elle referma son casier d'un mouvement brusque et fit un pas pour s'en aller quand Béatrice la retint par la manche.

— Vas-tu laisser Leg tranquille, oui ou non ? insista-t-elle pour la deuxième fois.

— Tu verras bien !

— Je t'avertis, Jo. Si tu te mets en travers de ma route, alors ce sera la guerre entre nous. Pour vrai. Tu aimerais ça que ton texto se retrouve sur

Facebook? Tes quatre-vingt-quinze caractères vont être parfaits sur Twitter!

Marjorie grimaça. «Je suis dans la merde jusqu'au cou», évalua-t-elle. D'un geste sec, elle se défit de la poigne de sa rivale.

— Oh et puis garde-le donc pour toi, si tu y tiens tant que ça! Qui se ressemble s'assemble...

Elle se retourna, prête à partir, quand une voix sévère les interpella depuis l'autre extrémité de l'allée.

— Qu'est-ce que vous faites encore là, vous deux? Vous avez les oreilles bouchées ou quoi? C'est sonné!

Monsieur Fiset, le surveillant, approcha d'un pas menaçant. Il reconnut Béatrice.

— Pour la présidente de quatrième, je te dis que tu ne donnes pas l'exemple, toi!

— On y allait, là.

— Eh bien, si tu penses que vous allez vous en tirer comme ça, j'ai des petites nouvelles pour vous autres, les filles!

Les lèvres presque retroussées sur leurs canines, Marjorie et Béatrice se lancèrent un regard de biais.

— Et que ça saute! les poussa le surveillant. Au bureau du directeur!

Les deux filles obtempérèrent sans entrain. La porte du bureau du responsable de quatrième secondaire s'ouvrit sur la moue ennuyée de ce dernier.

— Alors ? s'informa-t-il. Vous ne trouviez plus votre tube de mascara, c'est ça ?

Béatrice releva le menton et soutint le regard condescendant de l'homme.

— Vous savez, ça nous arrive à nous aussi d'avoir de *vrais* problèmes.

Marjorie approuva d'un signe de tête. Le directeur haussa un sourcil et joignit ses mains devant lui, sur son bureau.

— Vous m'en direz tant ! ironisa-t-il. Eh bien, mesdemoiselles, je suis tout ouïe !

Les deux élèves se dévisagèrent avec embarras. Ni l'une ni l'autre ne souhaitait faire davantage étalage de la querelle qui les opposait. Surtout au vu et au su d'adultes qui faisaient semblant de les comprendre.

— C'est personnel, affirma Béatrice.

Marjorie admira l'entêtement de sa rivale. Elle redouta néanmoins les conséquences d'une telle effronterie.

— Allons donc ! dit l'homme, bon enfant. Vous savez que vous pouvez tout me dire.

— Désolée, persista la ballerine, elle aussi consciente de ce qui les attendait si elles maintenaient leur position. Ça ne regarde que nous.

Le directeur plissa l'œil gauche et avisa cette fois Marjorie qui s'obstinait à garder le silence.

— Et toi ? Tu tiens à finir la journée en retenue avec ton amie ?

— Ce n'est pas mon amie..., maugréa-t-elle.

— Et pourtant, nota-t-il, tu es solidaire de son attitude.

Elle approuva, et Béatrice esquissa un sourire imperceptible.

— Alors si c'est comme ça, on y va pour la retenue. Et pour du tri de livres à la bibliothèque. Les deux, en équipe. C'est génial, non?

Les deux filles se contentèrent de lever le visage vers le plafond du bureau.

DOUZE, un, deux, TROIS, quatre, cinq, SIX, sept, HUIT, neuf, DIX, onze...

DOUZE, un, deux, TROIS, quatre, cinq, SIX...

Ce soir-là encore, Paolina battait la mesure avec ses mains. Ses élèves s'adonnaient à un exercice de contretemps: elles devaient, une par une, exécuter des *golpes*, coups donnés au sol avec tout le pied, en les intercalant entre chaque compte. Cela demandait une oreille musicale et un bon sens du rythme. En flamenco, le contretemps était essentiel. Comme sa maîtrise exigeait beaucoup de temps, les professeurs ne tardaient jamais à l'enseigner.

Le tiers de la classe seulement réussit l'exercice, et une seule élève parvint à maintenir correctement le contretemps au-delà de soixante secondes. Paolina coupa la musique.

— C'est difficile, ce truc, se plaignit une fille. Je ne suis jamais capable de...

— C'est parce que tu penses que seuls les comptes ou les notes font la musique, l'interrompit le professeur.

— Eh bien, c'est ça aussi, non?

— Non, justement. Entre chaque temps, entre chaque note, il y a un espace, un silence, parfois long, d'autres fois court. C'est la combinaison des deux qui crée le rythme, la musique. Sans les silences, on n'entendrait qu'un son continu, plat, monotone et monocorde. En comblant l'espace avec les *golpes*, par exemple, on bonifie la musique, on la complexifie. On crée une sorte de tension. Il y a du contretemps partout, pas seulement en flamenco. Même dans la vie de tous les jours.

Les élèves en doutèrent.

— Oui, des fois on est sur le temps, sur la coche, comme on dit. On fait exactement ce qu'il faut quand il le faut. Mais ça arrive aussi qu'on se sente décalé. On fait les choses avec un léger retard ou en avance, mais pas au bon moment. On est *a contratiempo*. On est sur un autre rythme. Ce qui ne nous empêche pas de continuer d'avancer, de cheminer, de rire, de travailler, de danser. Il ne faut pas avoir peur du contretemps. C'est une autre façon de comprendre ce qui se passe en nous et autour de nous... Allez, on reprend!

Paolina remit le disque et sélectionna un *compás*, ou structure rythmique cyclique, un peu plus lent. Cette fois, l'ensemble de la classe réussit l'exercice, excepté Marjorie. Elle avait beau taper du pied plus fort, ses *golpes* résonnaient toujours avec le temps.

— Honoré de Balzac écrivait que «la puissance ne consiste pas à frapper fort ou souvent, mais à frapper juste», cita Paolina en se rapprochant d'elle. C'est rassurant d'être sur le temps, mais ferme les yeux et écoute la mesure. Ressens-la, vibre avec elle, puis essaie de t'en dissocier pour mieux lui répondre, pour mieux la relancer et parler avec elle.

La jeune fille ne parvenait pas à se concentrer. Elle repensait sans cesse à Béatrice et à Thomas. À son stupide texto. Aux railleries des autres élèves. Au directeur. À son heure de retenue après l'école. Aux bouquins à replacer dans la bibliothèque. Et, surtout, à ce baiser interminable que sa rivale avait offert à son amoureux lorsque celui-ci était venu la chercher.

Alors, en colère et sans se donner la peine de répondre à son professeur, elle quitta le studio de danse. Elle se changea en vitesse et s'en alla. Elle dévala l'escalier sans voir une boîte posée sur la dernière marche, dans le hall. Son pied atterrit sur l'objet de carton, elle perdit l'équilibre et lâcha un cri. Sa main agrippa la rampe pour stopper son élan, mais elle se retrouva par terre, la cheville tordue.

## Journal de Marjorie : 8 février...

*Réglisse noire! Comme si ce n'était pas assez! Comme si la coupe n'était pas assez pleine comme ça! Comme si je n'avais que ça à faire, moi, me prendre des claques en pleine gueule! Non mais, quel karma! Si jamais il m'arrive une autre tuile aujourd'hui, je vais mordre. Au sang. Je le jure! Si je mens, je vais en enfer. De toute façon, j'y suis déjà.*

*Mieux vaut rester à la maison. Pas de téléphone, pas de iPhone. Rien. Je reste dans ma chambre. Ici, je ne risque rien. J'en sortirai quand mon père va revenir de l'aéroport. Pour l'embrasser et lui souhaiter bon retour. Au moins, ce jour maudit va bien se terminer. Sa présence me fera un peu oublier mes peines et la terrible douleur que je ressens à la cheville.*

Marjorie posa son journal sur l'oreiller et avisa sa blessure. Elle peinait à marcher. L'articulation était si enflée qu'elle ne pouvait pas enfiler ses bottes. L'élancement irradiait dans son pied et vers le mollet. Ses orteils remuaient avec difficulté. Sa mère l'approvisionnait en compresses de glace depuis deux heures. Elle avait avalé des acétaminophènes. Aucun effet ne se faisait encore sentir. Son regard obliqua vers ses chaussures de flamenco, près de la porte de sa chambre.

La pire crainte d'une danseuse venait de se concrétiser. Une entorse… Quand allait-elle pouvoir se remettre à la danse? À la clinique, le médecin de garde avait prescrit un arrêt d'au moins un mois. Quatre semaines, douze cours de flamenco sans compter les ateliers privés. Elle ne recommencerait donc qu'à la mi-mars. Sa participation au concours de talents était-elle compromise? En trois mois, réussirait-elle à bien maîtriser la *soleá por bulería* que Paolina lui enseignait?

Sur le temps. Inévitablement. Subversivement.

Au cours de la journée, Marjorie avait dansé sur le rythme dicté par les autres. Elle n'était pas arrivée à imposer sa cadence. Elle la ressentait, certes; sa volonté semblait toutefois ne plus exister. Les événements désastreux s'étaient enchaînés, sans qu'elle y puisse rien, l'obligeant à faire des choses qu'elle n'avait pas prévues au départ, à réagir à l'encontre du raisonnable. Maintenant, elle en payait le prix. Un prix élevé en peines, inquiétudes, sacrifices et colère.

«Ressens le rythme et vibre avec lui, lui avait conseillé son professeur. Essaie de t'en dissocier pour mieux lui répondre, pour mieux le relancer et parler avec lui», avait-elle ensuite ajouté.

Marjorie avait l'impression de ne faire que ça: ressentir. Ressentir de mauvaises vibrations, surtout. Pourtant, ce qu'elle souhaitait du fond du cœur, c'était un peu de bonheur et de légèreté. Pourquoi la vie s'y opposait-elle? Qu'avait-elle donc fait pour mériter un tel sort?

Trouver son rythme. À elle. Le faire vibrer. Le faire sortir d'elle. Le faire entendre aux autres. Le laisser être. *Let it be*, comme le chantaient les Beatles.

— On fait ça comment ? se demanda-t-elle à haute voix en laissant tomber sa tête contre l'oreiller.

Le mouvement provoqua un élancement jusque dans sa cheville blessée. Elle grimaça.

Existait-il une carte pour mettre la main sur ce trésor particulier, pour dénicher son propre rythme ? Une fois trouvé, s'accompagnait-il d'un mode d'emploi ou fallait-il tout découvrir par soi-même ? Avec de nombreux essais, des tonnes d'erreurs ? Et quand on le possédait, son rythme, pouvait-on le perdre ? Ou se le faire voler ? Alors, il fallait recommencer. Une fois de plus. Encore et encore… Toute la vie durant ?

Pour l'heure, Marjorie se dit que le mieux était encore de se reposer. Le lendemain, la vie se présenterait mieux. Un peu mieux.

Elle s'endormit en chien de fusil, par-dessus la couette, la lampe de chevet toujours allumée, alors que la neige envahissait la nuit.

Elle ouvrit les yeux au petit matin et, sur le dos, elle se cambra pour s'étirer. La douleur de sa cheville se réveilla elle aussi. L'enflure avait à peine diminué. Marjorie fit la moue. Elle attrapa les béquilles adossées contre son bureau et se hissa debout. Elle posa le pied blessé par terre pour le relever aussitôt.

— Aïe! gémit-elle.

Trop tôt. Beaucoup trop tôt. Elle plia le genou et contourna son lit pour se rendre à la fenêtre. Alors, la colère de la veille refit aussitôt surface. Elle ne vit rien de cette magnifique neige qui emmitouflait le quartier dans un écrin de ouate. Pas plus que ce soleil blafard qui se levait timidement sur la ville encore endormie. Elle n'avait d'yeux que pour eux. Ensemble. Sous son nez. Que fabriquait-elle là? Que se disaient-ils?

Elle tenta d'ouvrir la fenêtre, en vain. Elle frappa ensuite contre la vitre pour attirer l'attention de son père. Pas plus de résultat. Ses bagages autour de lui, il continuait de parler à Béatrice Demers qui se trémoussait dans son habit de neige.

Furieuse, Marjorie quitta sa chambre puis le condo pour entreprendre la descente de l'escalier de l'immeuble où sa famille logeait. Ses béquilles faillirent glisser sur l'arête des marches pour se loger entre les barreaux. En deux temps trois mouvements, la jeune fille arriva saine et sauve dans le hall. Elle repoussa la porte d'entrée, qu'un amoncellement de neige bloquait.

— Alors comme ça tu danses toujours, entendit-elle en dépit du vent qui soufflait fort.

— Oui, répondit Béatrice. Je suis bien meilleure qu'avant. Et beaucoup plus... souple aussi.

Marjorie chargea la porte avec son épaule. «Comment ça, beaucoup plus souple?» marmonna-t-elle, ahurie.

La porte ne s'ouvrit que de quelques centimètres de plus. Elle ne pouvait même pas passer la tête par l'entrebâillement. Le vent s'y engouffra davantage et la fit frissonner. Elle remonta son col roulé sur son menton puis croisa les bras sur sa poitrine.

— Vous avez beaucoup de bagages, monsieur Fortin, dit encore Béatrice de sa voix mielleuse.

— Oui, eh bien euh… je reviens d'un long séjour à l'étranger. Je devais rentrer hier soir, mais mon vol a été retardé à cause du blizzard.

— Oh! Vous en avez de la chance. Vous avez besoin d'un coup de main?

— Euh, non, non. Ça ira. Merci, Béa.

L'homme fixa à son épaule un sac de voyage et empoigna deux valises. Béatrice, qui avait enlevé ses gants, toucha la main de monsieur Fortin juste comme il se redressait. Elle lui sourit.

— Certain?

Il allait secouer la tête pour refuser l'aide de l'adolescente quand la porte de l'immeuble à logements s'ouvrit d'un coup. Marjorie se retrouva le nez dans la neige, le corps empêtré dans ses béquilles. Son père et Béatrice écarquillèrent les yeux.

— À quoi tu joues, Béatrice Demers, hein? l'apostropha la danseuse de flamenco en tentant de se remettre sur pied.

Sa rivale retira sa main pour la glisser dans la poche de son manteau.

— J'aide ton père, voyons…

— Mon œil!

— On ne peut plus rendre service à un voisin maintenant?

— Tu habites à cinq rues d'ici!

— Qu'est-ce que ça change? Il a tellement de bagages.

— Tu le draguais, espèce de…

— Jo! intervint enfin son père. Rentre tout de suite ou tu vas attraper la mort!

Les narines dilatées, Marjorie respirait sa colère à grandes goulées. Elle allait faire un pas en avant quand son père tendit l'index droit vers elle.

— J'ai dit «tout de suite!» tonna-t-il.

Sa fille serra avec plus de force les poignées des béquilles, fit volte-face sans ajouter un mot et disparut dans l'immeuble. Monsieur Fortin se tourna vers Béatrice qui lui souriait.

— Est-ce vraiment ce que tu faisais?

— Quoi? Vous aider?

— Non, me draguer.

L'adolescente continuait de sourire. Alors, il souleva les valises et lui décocha une œillade sévère.

— Fais bien attention, Béa, parce qu'allumer les hommes est un jeu dangereux. Tu ne sais pas sur qui tu peux tomber. Tu es encore si jeune.

Il entra dans l'immeuble où il habitait. Marjorie l'attendait assise dans l'escalier.

— Qu'est-ce qu'elle voulait? Ne me dis pas que tu la trouves de ton goût, toi aussi!

Le père toisa sa fille, médusé par l'interrogatoire et ce qu'il sous-entendait.

— Non mais, tu t'es entendue, Marjorie Fortin?

— Oui, et je veux des réponses! appuya-t-elle, rouge de colère.

— Je n'en reviens pas à quel point vous avez changé, toutes les deux, depuis un an!

Il monta les bagages à l'étage de leur condo avant de redescendre pour récupérer le reste, toujours dans la neige.

— Pour un retour au bercail, je te dis qu'on ne peut pas imaginer pire accueil! se désola-t-il en quittant le hall.

Dehors, il fut soulagé de constater que Béatrice Demers ne se trouvait plus dans les parages.

# 7

## *Liviana...* à la superficie des choses

*Quita una pena otra pena*
*Un dolor otro dolor*
*Un clavo saca otro clavo*
*Y un amor quita otro amor.*

Ils étaient assis sur le divan, au sous-sol. Un sac de croustilles et deux bouteilles de boisson gazeuse trônaient sur la table basse, devant eux. Thomas attrapa la télécommande et ferma le téléviseur. Il se tourna vers Béatrice.

— Alors, on fait quoi ?

Elle haussa les épaules. Il se rapprocha davantage d'elle et l'embrassa. La jeune fille se laissa faire. Elle aimait bien ses baisers parfumés de croustilles à la crème sure. Elle avait l'impression d'en manger sans tricher.

Le baiser s'éternisa. Le jeune couple bascula davantage sur le divan. Les mains de Thomas caressaient le cou, les épaules, le ventre de Béatrice.

Lorsqu'elles glissèrent sous son chandail de laine, l'adolescente ouvrit de grands yeux. Son corps se raidit.

— Ça ne va pas?

Elle se contenta de secouer la tête. Il écrasa ses lèvres sur les siennes et poursuivit son exploration. Ses doigts touchèrent le soutien-gorge et Béatrice tenta une fois de plus de se dégager de l'étreinte.

— Qu'est-ce qu'il y a? demanda-t-il.

— Je respire mal, souffla-t-elle. Il fait chaud tout à coup.

— Alors, enlève ça…

Sans attendre la réponse de sa petite amie, Thomas souleva le chandail pour découvrir sa poitrine menue recouverte de dentelle rose. Il se mit à rêver…

## UNE HISTOIRE DE GARS
**Un scénario de Thomas Legault**

### SÉQUENCE 7 : UNE FILLE PARFAITE (SUITE)
### INTÉRIEUR. CHAMBRE À COUCHER – SOIR
Gars 1 est étendu sur son lit défait et parle au téléphone avec son meilleur ami, Gars 2.

GARS 1 *(heureux)*

C'était trop cool, *man*!

GARS 2 *(hors champ)*

Maudit chanceux!

GARS 1
Je croyais pas qu'elle dirait oui à tout.
GARS 2 *(hors champ)*
À TOUT ? Maudit chanceux !
GARS 1
J'ai même pas eu besoin d'insister, genre.
GARS 2 *(hors champ)*
Maudit chanceux !
GARS 1
Ouais, c'est en plein
comme ça que je me sens, *man* !
GARS 2 *(hors champ)*
Je veux des détails !

Sourire aux lèvres, Gars 1 attrape une petite culotte féminine qu'il fait tournoyer autour de son index.

Excité par ses propres fantasmes, Thomas entreprit de défaire le soutien-gorge de Béatrice qui se cabra et rabaissa son chandail d'un geste pudique.

— Quoi ! s'écria Thomas, un brin agacé. Tu ne m'aimes pas assez ?

— Oui, bien sûr que oui, mais...

— Alors, c'est quoi le problème ?

Elle baissa le menton sur sa poitrine.

— Écoute, Béa. Ça fait un mois qu'on sort ensemble. On ne peut quand même pas juste s'embrasser toute notre vie, tu sais !

Il se remit à la couvrir de baisers et défit le bouton du pantalon de Béatrice.

— S'il te plaît, Thomas… non.

Excédé, le garçon se rejeta en arrière contre le dossier du divan.

— Alors quand?

— Je… j'ai mes règles, là, mentit-elle.

Le visage de Thomas grimaça pour ensuite s'adoucir.

— Pourquoi tu ne me l'as pas dit plus tôt?

Il lui caressa les cheveux.

— Et ça se termine quand, ces affaires-là?

Béatrice respira avec difficulté. Elle venait de l'échapper belle. Elle sourit pour la forme avant de se coller contre lui tandis qu'il sélectionnait un autre film sur la chaîne payante de la télévision.

Elle rentra dans le loft sans faire de bruit. Elle ne voulait pas réveiller son père ou, du moins, attirer son attention. Dans l'autobus, pendant le trajet de retour, elle avait pleuré. Il lui semblait que ses larmes avaient creusé de profonds sillons sur ses joues. Elle ne voulait parler à personne. Surtout pas à son père. Depuis deux mois, elle le fuyait, prétextant une tonne de devoirs à réaliser, des répétitions supplémentaires pour le ballet et des sorties avec Thomas.

Béatrice allait repousser la porte de sa chambre quand elle entendit la voix de son père. Il parlait au téléphone. D'une voix douce, pleine de miel. En mode séduction, pensa-t-elle. Il ne l'avait pas entendue rentrer.

— Non, ça me plaît. Tout est si simple avec toi. Tu me fais tellement de bien, Marie-Soleil…

Marie-Soleil. La fille qui avait parlé d'elle dans les toilettes, lors du coquetel maudit. Un mannequin en vue. Le visage et le corps osseux, une crinière de feu, une peau au teint marmoréen, un regard aussi envoûtant que la lune.

— Pourquoi lui dire? lui demanda-t-il. On est bien comme ça, non? On se visite en cachette, on se prend par surprise…

Il sortait donc avec elle. Ou plutôt il couchait avec elle. Voilà pourquoi elle connaissait le mystère entourant la mère de Béatrice. Charles-Édouard lui avait probablement tout dit sur l'oreiller. Il lui avait révélé les origines de sa fille alors qu'il refusait de dire quoi que ce soit à la principale intéressée. Béatrice le détesta encore plus. Car ces choses-là, aussi personnelles, ne devaient jamais s'ébruiter. Pourtant, Marie-Soleil avait osé raconter l'histoire de Béatrice à d'autres personnes, à des inconnus. Bientôt, la ville entière serait au courant. La vérité finirait peut-être par franchir les murs de l'école. La honte!

— Ne gâchons pas tout, Marie-So. Fais-moi plaisir, d'accord?

Béatrice repensa à Thomas et à ses attentes. Elle grimaça.

Chacun attendait d'elle quelque chose qu'elle peinait de plus en plus à offrir. Simone revendiquait la perfection désincarnée, son père exigeait la silhouette des mannequins, son petit ami voulait mettre la main sur son intimité.

Et ce que souhaitait Béatrice Demers, qui s'en souciait?

## Journal de Marjorie : 15 mars...

*Je ne sais pas ce qui se passe depuis quelques jours, la Demers ne vient plus à l'école. Personne ne sait pourquoi. Elle doit être malade. Malade de honte...*

*Il faut dire que j'ai parlé à deux ou trois filles qui n'ont pas la réputation de garder leur langue dans leur poche. L'épisode avec mon père, je ne l'ai pas pris. Pas du tout. J'appelle ça de la haute trahison. Le coup bas qui enlève les bonnes intentions et les transforme en venin. Pour toujours. Rayée à jamais de ma liste, cette fille. Aucun moyen de revenir en arrière. Impossible. Je suis catégorique là-dessus. Elle m'a piqué le premier rôle au ballet, a séduit celui que j'aime, a provoqué ma chute dans l'escalier de l'école de danse (elle n'était pas là physiquement bien sûr, mais elle me perturbe tellement), a fait la belle devant mon père. Tout ce qui m'arrive est de sa faute!*

*Et dire que... Oui, et dire que nous étions les meilleures amies du monde. De vraies inséparables. Je la considérais*

*comme ma sœur. Je lui faisais confiance. Depuis si long-*
*temps. Depuis notre premier cours de danse. Mais ça, c'était*
*avant. Avant ce jour fatidique où elle a copié mon examen*
*de français sans mon consentement. C'est là qu'elle a com-*
*mencé à se montrer sous son vrai jour.*

*Reste-t-elle chez elle à cause de moi ou grâce à moi?*
*Pfft! Je m'en moque, et même que ça m'arrange. Ça oui.*
*Parce que sincèrement, j'ai envie de penser à autre chose*
*qu'à cette vipère!*

Depuis une semaine, Béatrice gardait le lit, la couette remontée jusque sous les yeux. Elle ne se rendait plus à ses cours de danse, elle ne rendait pas les appels incessants de Thomas et empêchait son père de la visiter sous prétexte qu'elle se sentait contagieuse. Son parrain, le petit frère de son père, était passé au loft pour l'ausculter. Elle ne s'était guère montrée docile avec le médecin. Lui aussi devait connaître le terrible secret de sa mère. Lui aussi, d'une certaine manière, avait entretenu et protégé les mensonges de son père.

— Une peine d'amour? s'informa-t-il à son aîné quand il sortit de la chambre.

— Non, répondit Charles-Édouard qui avait parlé à Thomas à plusieurs reprises. Je ne l'ai jamais vue comme ça.

— Béa se referme sur elle-même, c'est ça ? Elle est souvent triste ? Elle t'adresse moins la parole ? Elle est un peu rebelle ?

— Oui ! Est-ce que c'est grave ?

— Eh bien, je crois qu'elle traverse tout simplement sa crise d'adolescence.

— Oh…

Charles-Édouard se gratta la joue.

— Et il y a un médicament pour ça ?

Son jeune frère secoua la tête en pouffant malgré lui.

— Occupe-toi d'elle. Prends du temps avec elle…

— Du temps ? répéta Charles-Édouard, un peu paniqué. Ça va durer longtemps ? Et le boulot, qu'est-ce que j'en fais ?

— Quand as-tu pris de vraies vacances avec ta fille ?

Charles-Édouard haussa les épaules. Il l'ignorait.

Béatrice resta là, étendue dans son lit, à penser, à rêver, à murmurer ses strophes rimées. Elle se levait pour faire ses besoins, prendre une douche et avaler une petite bouchée, une fois le loft vide. Toutefois, dès le début de la deuxième semaine, son père s'installa à demeure, au comptoir de la cuisine et travailla via Internet.

## Slam de Béa

*Je suis blessée, alitée.*
*Délivrez-moi de mes péchés.*
*Je sais qui peut m'aider,*
*Je sais qui peut m'aimer.*
*Mais entêtée et désespérée,*
*Oh oui, j'ai tout foiré !*
*Et elle s'en est allée...*

La fuite volontaire ou l'apparence de maladie ne réglerait pas les problèmes de Béatrice. Elle devrait bientôt refaire surface. Et rendre des comptes...

Sa cheville était toujours douloureuse. Elle marchait désormais sans l'aide de béquilles et réussissait à enfiler ses chaussures de flamenco, mais elle boitait encore un peu. Toutefois, elle assistait volontiers à ses cours de danse... en tant que spectatrice. Assise sur un petit banc, elle effectuait les mouvements de pieds, sans y mettre de poids. Les nouveaux gestes de la chorégraphie enseignée par Paolina s'imprégnaient dans son corps sans le brusquer, sans précipiter sa convalescence. Ainsi, Marjorie demeurait à l'affût.

Après l'un des cours, Paolina vint s'asseoir à ses côtés.

— Tu aimes vraiment ça, alors.

— Oui.

— Et le ballet classique… ça ne te manque pas trop?

— Pourquoi? C'est tellement superficiel!

— Tu trouves?

— Ça paraît que tu n'en as jamais fait, répondit l'adolescente devant l'air intrigué de son professeur.

Elle fit une courte pause avant de poursuivre:

— Avec le ballet classique, tout est symétrique et similaire. On se fout de la personnalité. On veut créer un moule et y enfermer les danseurs. Toutes les filles se ressemblent, à la fin. Elles deviennent interchangeables. On passe notre temps à modeler nos corps pour atteindre la perfection. C'est ça qui est si superficiel, ce désir de défier les lois de la nature, de pirouetter plus longtemps et plus vite, de sauter plus haut, de s'étirer et de se contorsionner, de renier les blessures… Juste pour épater, pour être la meilleure. La performance prend toujours le dessus. On sacrifie le plaisir. Alors non, ça ne me manque pas.

— Tu sais, la superficialité et la…

Marjorie secoua la tête, obnubilée par ses pensées et ses convictions.

— Et ça déteint sur les filles. Comme la Demers… La Reine des superficielles, celle-là!

— Qu'est-ce qu'elle a fait? s'informa Paolina, curieuse de connaître ce qui se cachait dans le cœur de son élève.

— Elle se prend pour une autre, répondit Marjorie, les mâchoires crispées de mépris. Elle se pavane dans ses vêtements griffés. Elle marche en se déhanchant, comme pour dire: regardez-moi! Elle est si mince qu'on dirait qu'elle va casser. L'année passée, elle s'est fait enlever une paire de côtes flottantes pour avoir la taille plus fine. Elle ne se préoccupe que de son apparence. C'est une coquille vide. Tellement vide qu'elle copie les autres. Elle n'est pas capable de penser par elle-même.

— C'est un jugement dur, constata le professeur de flamenco.

— Peut-être, mais c'est comme ça. Et puis...

Elle hésita quelques secondes.

— Elle a même dragué mon père!

— Oh! fit Paolina.

Celle-ci attendit que son élève reprenne ses accusations. L'adolescente sembla plutôt se retrancher dans sa colère et sa haine.

— Je peux te poser une question?

Marjorie opina.

— Penserais-tu la même chose du ballet et de cette fille s'il n'y avait pas eu ce... problème de poids?

L'adolescente tourna vers le professeur un regard sombre. Paolina ne s'en formalisa pas.

— Tu n'as pas toujours pensé comme tu le fais aujourd'hui, non ? insista-t-elle

— Non, avoua la jeune fille à contrecœur. Mais je vois clair, maintenant.

— Tu reproches donc au ballet et à cette fille de ne pas être… comment dire ? De ne pas être assez profonds ? C'est bien ça ?

Le professeur de flamenco prit une grande goulée d'air, puis toucha la cuisse de Marjorie.

— La superficialité et la profondeur sont deux facettes d'une même réalité. On les oppose souvent alors qu'en fait, elles se complètent.

L'adolescente sourcilla, sceptique.

— Ce que l'on appréhende en premier lieu, c'est la forme, les caractéristiques sensorielles des choses, celles que l'on perçoit avec les sens. Le regard, le toucher, l'ouïe, l'odorat, le goût. Grâce à la superficialité, on capte des impressions. Puis, on cherche à connaître, on veut creuser davantage pour découvrir ce qui se cache en profondeur. L'un n'existe pas sans l'autre. La couche superficielle de notre être, la peau, protège les organes vitaux. Même chose pour les fruits, par exemple.

— C'est parce que pour le ballet, je parlais genre de philosophie et d'esthétique ; pour la Demers, je pensais surtout à son attitude. Ce n'est pas pareil !

— Bien sûr que oui, c'est la même chose, continua Paolina sans se démonter. Je n'ai jamais fait de ballet classique, par contre j'ai assisté à plusieurs spectacles. Ces sauts de haute voltige, ces arabesques épurées, ces corps soumis à une discipline quasiment ascétique et monastique… Le côté aérien de cet art m'a toujours semblé exprimer le besoin des êtres de s'élever vers le haut, vers le ciel, vers Dieu. L'étincelle divine en nous qui cherche à s'arracher au monde terrestre pour retourner, en quelque sorte, au monde céleste. Pour moi, les danseurs ressemblent à des anges en quête de la perfection ultime. Leurs mouvements traduisent ce désir fondamental d'absolu ancré au plus profond des humains depuis toujours. Crois-moi, il n'y a rien de superficiel là-dedans.

Marjorie perdit peu à peu son air buté et écoutait avec attention les paroles de son professeur. Elle découvrait, au fil de la discussion, une autre façon de voir les choses, de les comprendre, de les apprécier.

— Et pour le flamenco?

— Si le ballet classique symbolise les aspirations divines, je dirais que le flamenco… cherche à explorer la nature humaine, à traduire ses états d'âme, à incarner ses émotions, toutes ses émotions, pour en arriver à une meilleure compréhension de soi et du monde. Les danseurs ne souhaitent pas se détacher du sol; ils y restent collés, cloués. Ils dansent même les genoux pliés pour mieux absorber les vibrations de la terre, pour les utiliser. Ils sont *groundés*. Ça représente, à mes yeux, une façon d'accepter la destinée humaine, notre condition de mortels, pour ainsi pouvoir continuer à vivre. Le flamenco est une célébration de la vie dans ce qu'elle a de beau comme de tragique.

L'adolescente se demanda quelle symbolique était la meilleure. Elle eut bien de la difficulté à répondre. Des anges… dans un monde imparfait… qui rêvent de sublime… bien qu'ils soient dotés de moyens restreints… Du coup, elle trouva que cette description lui convenait à merveille. Comme si elle venait de comprendre qui elle était et sa raison d'exister.

— Pour cette fille, la Demers, comme tu l'appelles, conclut Paolina, elle se sert peut-être de son corps et de ses charmes pour cacher ce qu'elle est vraiment.

— Oui, c'est sûr! Parce qu'elle ne veut pas que tout le monde voie qu'elle est un monstre.

Paolina doutait de la véracité de l'affirmation, même si elle s'abstint d'ajouter quoi que ce soit.

La sonnette retentit dans le condo. Marjorie ne broncha pas, convaincue que son frère Axel irait répondre. Quand elle se remit à sonner, la jeune fille abandonna son devoir et, d'un air renfrogné, ouvrit la porte d'entrée. Elle tomba nez à nez avec Béatrice Demers.

— Réglisse noire! Qu'est-ce que tu fais ici, toi? demanda-t-elle sèchement. Tu n'es pas censée être malade?

La visiteuse renifla. Avec ses yeux rougis et son nez un peu épaté, on devinait qu'elle avait pleuré. Marjorie ne se laissa pas émouvoir.

— Alors? Tu as perdu ta langue ou quoi?

— Je suis venue pour…

— Si c'est mon père que tu cherches…

— Laisse-moi parler, s'il te plaît, l'interrompit Béatrice.

Elle demeurait pourtant silencieuse. Si bien que Marjorie s'appuya contre le chambranle, croisa ses bras sur sa poitrine et leva un sourcil.

— J'attends toujours! lui fit-elle remarquer au bout de dix secondes. Je n'ai pas que ça à faire, tu sais!

— Je suis venue pour…

Sa voix se fit menue, incertaine, fragile. Son corps élancé et mince semblait vulnérable à l'extrême.

— Tu l'as déjà dit!

— Pour m'excuser, avoua Béatrice avec un léger trémolo. Et pour faire la paix.

Marjorie écarquilla les yeux et la bouche. Avait-elle bien entendu? Elle faillit se pincer l'avant-bras tant la déclaration la prenait au dépourvu. Encore une fois, elle ne se laissa pas attendrir. La Demers lui jouait une comédie ostentatoire. Il ne pouvait en être autrement.

— Pour mieux me poignarder dans le dos après ? insinua-t-elle.

— Non, se rebiffa la ballerine. Non, pour vrai…

— Et puis quoi encore ? la défia Marjorie. Tu penses peut-être qu'avec tes petites excuses dramatiques, je vais oublier ce que tu as fait, que ça suffit pour que ça redevienne comme avant ?

Comme avant. Béatrice y songeait souvent. Avec nostalgie et regrets. Et Marjorie aussi. Avec un sentiment de trahison en travers de la gorge.

— Si tu attends que je te pardonne pour soulager ta conscience, alors tu te trompes d'adresse ! Dégage !

— Ah, parce que tu crois que tu es la victime de l'histoire ? Que je suis la seule coupable ? Le monstre ?

— Genre…

Béatrice avança d'un pas. Son visage, son attitude avaient perdu toute trace de fragilité, d'incertitude, d'espoir.

— Tu es tellement superficielle ! lui cracha la ballerine à la figure. Et vaniteuse ! Tu es obsédée par tes notes comme si elles étaient synonymes d'intelligence. Tu ne penses qu'à performer au ballet. La preuve, c'est que tu es partie au premier souci. La seule, la meilleure ou rien du tout ! Je suis persuadée que tu fais la même chose dans tes cours de flamenco, que tu t'es procuré costumes et accessoires pour te faire voir. Tu n'es qu'une m'as-tu-vu !

— Fudge! J'en ai assez entendu, là!

Et la porte se referma au nez de Béatrice qui tourna les talons, puis dévala l'escalier.

Adossée contre la porte du condo, Marjorie songea aux paroles prononcées par sa rivale. Se pouvait-il que les autres pensent cela d'elle? Ou n'était-ce que le jugement d'une jalouse, une projection de ce que Béatrice Demers était elle-même?

— Dure, dure... la vérité!

Elle se tourna vers le salon et découvrit son frère, assis nonchalamment dans le divan, les écouteurs sur les oreilles.

— Pourquoi tu n'as pas ouvert si tu étais juste là? lui reprocha-t-elle.

### Liste « amie/ennemie » par Axel Fortin

- ✓ Inséparables. Dépendantes. Solidaires.
- ✓ Jalouses malgré tout.
- ✓ Rivales sans l'avouer.
- ✓ Un gars. Juste un.
- ✓ Ou autre chose. Pas grand-chose.
- ✓ Et ça pète.
- ✓ Mais ça change pas.
- ✓ Toujours inséparables.
- ✓ Encore plus dépendantes.
- ✓ Aveuglément solidaires.
- ✓ Mais dans la haine...

— Béa et toi, vous êtes tellement pareilles, conclut-il en parlant normalement, pour bien se faire comprendre. Quand est-ce que vous allez l'accepter?

— Et toi, tu dis tellement n'importe quoi!

Axel joignit ses mains derrière sa tête et croisa ses jambes sur le pouf.

— Bon, OK. Béa a fait une gaffe il y a un an. Ça arrive à tout le monde d'avoir l'idée de copier une dissert.

— Sauf que depuis ce temps-là, elle en a fait plein d'autres, des gaffes!

— Et ça ne t'est jamais venu à l'esprit qu'elle agissait peut-être comme ça pour attirer ton attention, parce qu'elle s'ennuie sans toi?

La supposition stupéfia Marjorie.

— Ah bien, chocolat! Elle est bonne, celle-là! Parce que maintenant, c'est ma faute? Non mais, tu es tellement débile!

— Tu as déjà remarqué que chaque fois que tu t'énerves ou que tu t'emballes, tu ne peux pas t'empêcher d'utiliser des jurons alimentaires à forte teneur calorique? Ça doit être genre ta façon à toi de bouffer tes émotions sans culpabiliser.

— Même pas vrai!

— Je te le dis.

Elle chercha quelque chose à répliquer, et les seuls mots qui lui vinrent à l'esprit furent «réglisse noire»! Alors, excédée par les propos de son frère, elle regagna sa chambre en claquant la porte.

Le vendredi, après l'école, Marjorie se rendait souvent au cinéma. Avant le repas du soir, le prix d'entrée était presque réduit de moitié et il n'y avait pas foule. Elle paya son ticket, acheta un sac de maïs soufflé, puis se dirigea vers la salle où le film *Flamenco*, de Carlos Saura, prenait l'affiche. Pendant quatre semaines, le cinéma de son quartier avait réservé une salle de projection à un festival consacré au célèbre réalisateur espagnol. On y présentait aussi *Noces de sang*, *L'Amour sorcier*, *Carmen* et plusieurs autres œuvres qui ne parlaient pas seulement de la danse flamenca.

Elle allait ouvrir la porte quand une voix familière résonna dans son dos.

— Besoin d'aide?

Contre toute attente, elle se retrouva nez à nez avec Thomas Legault.

— Euh… oui… merci.

Il lui tint la porte tout en avisant l'affiche du film de Saura.

— C'est bon? demanda-t-il.

— On m'a dit que oui. C'est sur le flamenco.

— Cool.

Elle hésita à entrer dans la salle, à passer plus près de lui.

— Et toi? Tu vas voir quoi?

— Un film d'action.

Elle suivit des yeux l'endroit qu'il indiquait.

— Les critiques ne sont pas si bonnes que ça, ajouta-t-il.

Ils se dévisagèrent sans broncher. Le temps s'écoula. Dans la salle, les lumières se tamisèrent et les bandes-annonces se mirent à jouer. Thomas brisa le silence tendu qui planait entre eux.

— Je pourrais peut-être regarder ton film avec toi, à la place...

Marjorie n'en croyait pas ses oreilles. Que se passait-il? Était-elle en train de rêver? Ses fantasmes étaient-ils sur le point de devenir réalité? Elle promena un regard furtif à l'entour. Pas de trace de Béatrice Demers. Elle sourit d'un air gauche.

— Bien sûr!

Alors, les deux adolescents s'engouffrèrent dans la salle, enveloppés par l'obscurité. Ils prirent un siège au centre de la pièce vide.

Après la dernière bande-annonce, le film *Flamenco* débuta. La musique du générique retint toute l'attention de la jeune fille. Les notes éclataient dans l'air. Ensuite, le rythme d'une *bulería* la transporta. Sur le grand écran, l'art flamenco se déployait avec encore plus de majesté, de fatalisme et d'humanité que sur les écrans restreints d'Internet et de YouTube. Lorsque la musique d'une *guajira* commença, elle se rappela son sac de maïs soufflé posé sur ses genoux, et la présence de Thomas.

Elle tourna les yeux vers lui. Le garçon n'écoutait pas le film. Il se contentait de fixer le profil de sa compagne, éclairé par la lumière de la projection.

— Tu en veux ? réussit-elle à articuler d'une voix à peine audible.

Il secoua la tête de droite à gauche sans la quitter des yeux. Marjorie se sentit devenir aussi rouge qu'une pivoine. Son sac de maïs soufflé se froissa entre ses mains nerveuses. Qu'allait-il arriver ? Elle souhaitait un autre baiser et les circonstances semblaient propices à un tel événement. Du moins le croyait-elle. Ses rêves et la réalité étaient-ils compatibles ?

Elle se concentra de nouveau sur l'écran. Une danseuse, vêtue de blanc manipulait un éventail avec une dextérité déconcertante. Elle exécutait avec grâce un des *palos* flamencos inspirés par les échanges culturels avec Cuba. La prestation ne chassa cependant pas de son esprit ni le désir qu'elle ressentait, ni celui qui le provoquait. Elle hasarda un second regard vers Thomas. Il n'avait pas bougé d'un iota et continuait de la fixer. L'intensité de ses prunelles ne mentait pas. Lui aussi, il voulait l'embrasser. Alors, il se pencha lentement, très lentement vers elle, comme pour ne pas l'effrayer. Ses lèvres se posèrent sur celles, frémissantes, de la jeune fille.

Du coup, les artistes et les images s'évanouirent. Elle ne percevait plus que la musique du film qui vibrait à ses oreilles, que son cœur qui marquait le contretemps avec force et détermination.

Thomas passa la main dans ses cheveux. Leur baiser s'éternisa. L'adolescente en avait le souffle coupé, mais elle ne voulait pas qu'il s'arrête. Jamais. Elle goûtait aux lèvres, à la langue du garçon. Elle sentit un doux vertige l'étreindre.

Thomas ressentait quelque chose pour elle. Et sa taille ne semblait pas l'importuner. Elle en avait désormais la preuve. Au diable, les autres élèves de l'école! Ils ne racontaient que des stupidités sans fondement. Car on ne pouvait pas ne pas aimer et embrasser de façon aussi sublime. Impossible! C'était encore mieux que lors de la Saint-Jean-Baptiste.

Et Béatrice Demers? Pour l'heure, Marjorie n'y pensait même pas. Sa rivale n'existait plus.

# 8

## *Martinete...* le cri de la persécution

*Así como está la fragua*
*Jecha de candela y oro*
*Se me ponen las entrañas*
*Cuando te recuerdo y lloro.*

### Manifeste du premier rôle selon Simone Bouvier

Si tu as du talent,
Si tu te soumets aux exigences de ton professeur,
Si tu vas de toi-même au-delà de celles-ci,
Si tu es prête à tout pour réussir,
Si tu fais toujours les choses en fonction de ton Art,
Si tu aimes ton Art plus que toi-même,
Alors, tu mérites d'obtenir un premier rôle.
Sinon, tu resteras une figurante anonyme
Ou tu seras recalée à ce grade.

Béatrice respira avec difficulté. Ses paupières papillotèrent. Les élèves chuchotèrent entre elles. À qui Simone allait-elle confier le premier rôle maintenant qu'elle venait de le retirer à la jeune fille ? À Julie, sa doublure ? Ou à une autre ? Car à force de voir les solos, les danseuses avaient fini par les apprendre par cœur.

L'ange déchu avança d'un pas. Le professeur se détourna avec mépris.

— Simone, je…

— Quoi ! Qu'est-ce qu'il y a encore ? N'ai-je pas été suffisamment claire ?

— Mais…

Elle s'arrêta net devant l'air courroucé de Simone.

— Doublure et point final, décréta-t-elle. Le rôle ira à Julie. Maintenant, allez ! Au travail ! Vous êtes ici pour danser, pas pour discuter.

Elle avisa le pianiste qui s'exécuta. Les ballerines s'empressèrent d'agripper les barres. Ronds de jambe, pliés, relevés, arabesques, battements… Au bout de quelques minutes, Béatrice quitta le studio en courant. Son professeur haussa les épaules. Bon débarras, sembla-t-elle se dire.

Aux yeux de Simone Bouvier, on ne forgeait pas une carrière sur la frivolité ou l'inconstance. La femme était dure, sévère, rigide. Elle avait un objectif dans sa mire et ne s'en détournait jamais. Perfectionniste à outrance, toujours insatisfaite, elle poussait ses élèves à exceller dans le seul but qu'on reconnaisse les jeunes talents qui sortaient de son école. Ce que d'ailleurs elle faisait parfois au détriment des jeunes filles, de leurs besoins ou de leur santé, et des parents qui, eux, lui accordaient leur confiance, son école ayant la cote. Le Grand Ballet National surveillait toujours avec beaucoup d'intérêt ses spectacles de fin d'année.

Aujourd'hui dans la cinquantaine, elle avait commencé sa carrière à l'âge de quatre ans. Au bout d'une dizaine d'années, elle s'était fait remarquer par des chorégraphes de renom qui l'invitèrent à travailler au sein de différentes compagnies prestigieuses. À force de discipline et d'acharnement, elle était devenue première soliste. Elle avait foulé les planches des plus grandes scènes de la planète. Elle avait pris sa retraite à vingt-neuf ans pour fonder sa propre école et se consacrer à l'enseignement. Bien qu'elle ait quitté les feux de la rampe depuis plus de deux décennies, sa réputation et sa carrière demeuraient les pôles de sa vie.

## Journal de Marjorie : le 3 avril...

*J'ai reçu un texto, ce matin. Encore de cet oiseau de malheur de Clara qui m'annonce toujours des trucs ennuyants au cube et qui semble n'avoir rien d'autre à faire que de ruiner mes journées. Sauf que cette fois, c'est différent. Si différent que j'ai presque cru à un poisson d'avril en retard. Mais non. Mais non !*

*Chocolat que la vengeance est douce ! Bon, je n'ai rien fait de spécial ou de répréhensible (en dehors de ce délicieux baiser au cinéma), mais voilà : le résultat est le même. Les choses, la vie, les gens... tout se détourne de Béa. Ils ont enfin compris à quel point elle n'est qu'une façade, qu'une image en deux dimensions, sans profondeur, avec du talent, oui, mais pour faire du mal aux autres. Simone qui la détrône, Thomas qui la trompe... Si ça continue, elle va peut-être devoir démissionner de son poste de présidente de quatrième... Le rêve !*

*Bon, c'est vrai aussi que pour Thomas, ce n'est pas encore réglé. Il m'a demandé de patienter quelques jours. Maximum deux semaines. De faire comme si rien ne s'était passé au cinéma. Il veut du temps pour trouver les bons mots et attendre les circonstances idéales pour rompre officiellement avec la Demers. Il craint une réaction démesurée de sa part. Il redoute une crise, peut-être même du chantage. Genre qu'elle lui fasse une mauvaise réputation à l'école. Ça lui ressemblerait bien, ça.*

*Si ce n'était que de moi, elle pourrait dire n'importe quoi. Sauf que je ne veux pas que ça nuise à Thomas. Je l'aime. Vraiment. Tellement. Et puis, s'il la prend en défaut de quelque chose, comme il dit, ce sera plus facile. Et à moi le bonheur ! Dire que ça fait plus de neuf mois qu'on s'est embrassés pour la première fois, lui et moi. Je le mérite !*

*N'empêche que c'est difficile de ne rien lui dire, de ne pas trop le regarder, de ne pas l'approcher, bref de l'ignorer et de faire comme si ce deuxième baiser n'existait que dans mon imagination. J'ai envie de lui sauter au cou chaque fois que je le vois, de texter mon amour au monde entier, de passer mon temps à changer de statut Facebook... C'est plus fort que moi, je pense à lui sans arrêt. Je lui consacre la moindre seconde de ma vie. Une chance que j'ai le flamenco parce que je deviendrais vite gaga. Le concours de talents approche et Paolina est géniale. Elle est superbe, cette chorégraphie de* soleá *por* bulería. *Ce* palo *me colle bien à la peau, je trouve.*

*Même si les choses ne sont pas parfaites, même si le silence imposé par Thomas est pénible, savoir qu'il m'aime me comble au plus haut point. Cette nouvelle certitude me donne un sentiment de puissance et de supériorité. Je sais quelque chose que Béa ignore. Elle ne se doute même pas de la tuile sur le point de lui tomber dessus!*

Dans la cafétéria bondée, Thomas repéra Béatrice qui mangeait en compagnie de quelques camarades de classe. Préoccupée, elle ne souriait pas. Elle soupirait souvent. Chaque bouchée de son plat de spaghetti lui arrachait une moue grimaçante. Elle ne prêtait pas l'oreille à ce qui se disait autour d'elle, si bien qu'elle fut surprise de voir son petit ami surgir brusquement de l'autre côté de la table.

— Salut, dit-il. On pourrait se voir, après le dîner?

Béatrice repoussa son assiette presque vide et se leva, heureuse de quitter la table.

— J'ai fini…

— Je n'en reviens pas! commenta une de ses amies. Elle mange comme un bœuf et elle est mince comme une allumette! Je vais me mettre au ballet, moi aussi…

— Ça doit être génétique, évalua une autre.

Les gènes! Béatrice repensa aux révélations de Marie-Soleil, lors du coquetel organisé par son père, et gratifia son amie d'un regard si sombre que les filles changèrent de sujet. La ballerine donna un baiser distrait à Thomas.

— Ça va? lui demanda-t-elle.

— On pourrait aller à la bibliothèque, proposa-t-il pour éluder la question. On va être plus tranquilles.

— Bonne idée. J'ai justement un livre à retourner.

Elle attrapa la main de Thomas. Ensemble, ils filèrent vers la section des casiers pour récupérer le livre de Béatrice, puis mirent le cap sur la bibliothèque. Tout au long du petit trajet, ils ne s'adressèrent pas la parole.

Ils franchirent la porte de la bibliothèque, l'adolescente laissa son livre dans la chute destinée aux retours. Ils s'installèrent dans un cubicule formé de panneaux amovibles, à l'abri des regards et des oreilles indiscrètes.

Dès qu'ils s'assirent, Thomas ne perdit pas de temps en préambule inutile.

— On dirait que tu me fuis.

— Non, voyons, fit-elle, un brin déconcertée et sur la défensive. Qu'est-ce qui te fait dire ça?

— Eh bien! Tu ne retournes pas souvent mes appels. On ne se voit presque plus ni à l'école ni…

— Mes cours de ballet, plaida-t-elle. Le spectacle s'en vient, j'y mets beaucoup d'énergie. Si je veux être recrutée par le Grand Ballet National, je dois avoir une moyenne de soixante-dix au moins.

Thomas se rapprocha d'elle.

— Tu ne me dis pas tout non plus.

— C'est faux, contesta-t-elle sans énergie. Je te dis tout.

— Ah oui? Et pour le ballet? Et pour ton rôle de soliste?

Béatrice baissa la tête. Il savait donc qu'elle avait été recalée. Sûrement par l'intermédiaire de Clara. Devait-elle lui faire un dessin? S'attendait-il à ce qu'elle lui explique en long et en large ce qu'elle ressentait? Ne comprenait-il pas qu'elle n'avait pas envie d'en parler? Qu'elle avait honte, d'une certaine manière? Honte de cet échec qui risquait d'anéantir son rêve de faire une carrière de ballerine? Qu'elle était de plus en plus désillusionnée, aussi, de découvrir les défauts et les difficultés d'un art qu'elle chérissait depuis sa plus tendre enfance?

Au-delà d'une des parois, des pas feutrés se rapprochèrent. Marjorie Fortin posa ses cahiers sur un large pupitre vacant, près du cubicule, et entreprit de poursuivre ses recherches pour un travail en histoire.

— Je croyais que tu m'aimais, reprocha Thomas à Béatrice.

— Mais je t'aime! rétorqua celle-ci.

Leurs voix avaient brisé le silence imposé par les bibliothécaires. Marjorie sursauta en les reconnaissant. Se pouvait-il que... que Thomas ait enfin trouvé les *bons mots* et réuni les *circonstances idéales* pour larguer sa rivale? Elle sourit malgré elle. Si tout se déroulait comme prévu, elle marcherait bientôt au bras de son amoureux. Très bientôt. Qui sait? Peut-être le soir même, après la cloche du dernier cours, dans l'autobus, au vu et au su de tous.

Elle se leva. Sur la pointe des pieds, elle alla coller son oreille contre la paroi de tissu. Il n'était pas question qu'elle manque un mot de cette conversation.

— Alors, prouve-le-moi! exigea Thomas qui ne se doutait pas que quelqu'un les écoutait.

— Que... que veux-tu que... je fasse?

Il prit une profonde inspiration sans la quitter des yeux.

— Tu sais très bien de quoi je parle.

Béatrice soupira, excédée.

— Vraiment tu ne penses qu'à ça! l'accusa-t-elle.

Il se contenta de croiser les bras alors qu'à moins de deux mètres d'eux, Marjorie fronçait les sourcils sans voir où ils voulaient en venir.

— J'ai mes règles, annonça Béatrice d'une petite voix.

— Merde! s'écria-t-il malgré lui. Tu les as tout le temps! Ce n'est pas normal! Ça dure donc bien longtemps, ces affaires-là! À moins que… que tu inventes ça pour…

— Je veux faire l'amour avec toi, Thomas…, l'interrompit-elle pour le rassurer en dépit des trémolos de sa voix. C'est juste que…

— Que quoi?

Le ton intrigua Marjorie. Ce n'était pas le genre de rupture à laquelle elle s'était attendue. En fait, elle ne comprenait pas l'insistance de Thomas. Il lui donnait presque l'impression de la supplier. À moins qu'il ne se serve du refus de Béatrice pour mieux la plaquer.

— Écoute, Béa. On n'est plus des enfants. Après deux mois, j'ai envie de passer aux choses sérieuses. Si tu continues de me niaiser…

Il stoppa un court instant avant de reprendre:

— Eh bien, j'irai voir ailleurs.

Voilà. Les choses étaient dites. Béatrice déglutit ses inquiétudes qui ne la lâchaient jamais. De son côté, Marjorie sourit de plus belle. Elle allait quitter son poste de guet quand elle entendit la riposte cinglante de sa rivale.

— Quoi ? Tu vas retourner voir Marjorie Fortin, c'est ça ?

— Elle ou une autre, ce ne sont pas les filles qui manquent, tu sais.

Il se remit sur pied et toisa sa petite amie de haut.

— Je te dirais que c'est même plus facile pour un gars d'obtenir ce qu'il veut avec les grosses. Elles sont pas mal moins capricieuses, elles. Elles feraient n'importe quoi pour avoir un amoureux et le garder. Même jouer dans le dos d'une autre fille.

Le corps de Marjorie se crispa. Avait-il prononcé ces mots terribles dans le seul but de provoquer une réaction de la part de Béatrice ? Malgré le silence qui planait, la voix du garçon résonnait encore à ses oreilles. Les grosses… moins capricieuses… feraient n'importe quoi… même trahir…

Une intonation dure et méprisante. Un jugement implacable et insensible. Un retournement inattendu et crève-cœur.

Du coup, elle se mit à douter. Elle croyait avoir remporté une importante bataille aux dépens de Béatrice Demers. Et si Thomas s'était moqué d'elle et de son amour ? Et s'il ne souhaitait obtenir d'elle que ce que sa petite amie officielle refusait de lui accorder ? Et si, au final, les deux filles n'étaient que des victimes? Si Thomas avait bel et bien monté cette mise en scène ridicule pour se libérer de la ballerine, Marjorie parviendrait-elle néanmoins à oublier les mots cruels qu'il avait prononcés? Réussirait-elle à chasser pour toujours de son esprit la possibilité que Thomas les ait un jour réellement pensés?

— Bon, je dois y aller, annonça-t-il. La cloche va bientôt sonner.

— Alors qu'est-ce qu'on fait? On casse, c'est ça?

Marjorie tendit davantage l'oreille. Rien. Pas un mot. Elle se risqua à regarder par-dessus le panneau amovible. Alors, elle découvrit l'innommable.

Thomas embrassait Béatrice! Quand il eut terminé, il lui lissa une mèche de cheveux qu'il replaça avec délicatesse derrière son oreille. Exactement comme il l'avait fait avec elle au cinéma!

— Je t'aime, Béa. Je n'ai pas envie que ça arrive, mais... en tout cas, la balle est dans ton camp.

Il se redressa et Marjorie recula à toute vitesse pour qu'il ne l'aperçoive pas. Elle retourna au pupitre où elle avait posé son sac et ses notes de cours. Elle se camoufla derrière la chaise comme il passait de l'autre côté, en direction de la sortie.

La cloche sonna. Des élèves encore dans la bibliothèque se dépêchèrent de s'en aller. Marjorie voulut attendre le départ de Béatrice, mais celle-ci demeura dans le cubicule. La seconde cloche fit écho à la première. La rumeur des corridors s'amenuisa pour céder sa place au silence. Derrière le comptoir des retours, la bibliothécaire s'activa au tri des livres sans se préoccuper des retardataires.

Marjorie marcha à quatre pattes sous le pupitre jusqu'à ce qu'elle puisse voir au-delà des parois du cubicule. Sa rivale avait le visage tourné vers la large fenêtre. Pleurait-elle? Marjorie avait bien assez de sa propre tristesse pour s'inquiéter de celle de Béatrice. Et puis les deux adolescentes étaient en retard. Elles devraient présenter à leur professeur un billet. Avant, il leur fallait passer au secrétariat. Que prétexteraient-elles? Comment réagiraient-elles en se croisant là-bas?

Marjorie préféra ne pas le savoir. Aussi s'empressa-t-elle de prendre les devants. Elle sortit et se précipita au secrétariat. Elle ne trouva rien de mieux pour justifier son retard que le désir de lire plus longtemps un des livres qu'elle avait choisis pour un travail en histoire. Billet en main, elle stoppa aux toilettes avant de regagner son local.

Un faible gémissement attira son attention. Quelqu'un sanglotait. Intriguée, elle se pencha pour voir de quelle cabine provenaient les pleurs. Aucune jambe en vue. Elle se rapprocha sur la pointe des pieds. Elle entra dans une cabine et, avec agilité, grimpa sur le siège de la cuvette. Elle se redressa, en équilibre précaire, puis passa la tête par-dessus le muret.

De l'autre côté, recroquevillée sur le siège rabaissé de la toilette, Béatrice pleurait, le visage sur les genoux. Cette scène de désespoir, de vulnérabilité, Marjorie avait cru qu'elle pourrait un jour en tirer satisfaction, du moins un peu. Pourtant, à cette minute précise, même le plus petit des sourires n'apparut pas à la commissure de ses lèvres. Les doigts crispés sur le muret, elle épiait en retenant son souffle, sans broncher.

Puis Béatrice déplia ses longues jambes. Elle releva le siège de la cuvette et s'agenouilla par terre. Elle regarda l'eau et l'émail jauni pendant un long moment. Elle ouvrit la bouche et se planta au fond de la gorge l'index et le majeur droits. Alors, ses épaules se voûtèrent. Elle s'étouffa, puis son dîner plongea dans l'eau en créant des éclaboussures qui dégoulinèrent sur les murs de la cabine.

L'adolescente fit une pause. Elle se racla la gorge à plusieurs reprises avant de recommencer son manège et de restituer le reste de cet abominable spaghetti à la sauce tomate qu'elle s'était efforcée de manger devant tout le monde, pour donner le change. Ces hydrates de carbone étaient censés rendre heureux, mais leurs soixante-quinze grammes de sucre par cent grammes de pâtes alimentaires, elle ne pouvait se les permettre. Alors, elle les régurgitait en cachette.

Béatrice se redressa et s'essuya la bouche d'une main tremblante. Elle s'appuya un instant contre

185

la porte pour fixer la bouillie informe au fond de la cuvette. Jusqu'où les choses iraient-elles ? Pourrait-elle supporter encore longtemps les manipulations affectives qui pleuvaient sur elle ? Elle actionna la chasse d'eau avant de sortir de la cabine.

Elle marcha jusqu'aux lavabos. Elle se dévisagea dans le miroir. Elle avait les yeux rougis, le teint cireux, l'air hagard. Elle ouvrit le robinet et fit couler un mince filet d'eau froide. Elle s'aspergea le visage. Lorsqu'elle tendit la main vers le rouleau de papier, elle remarqua un billet de retard, placé dessus. Elle plissa le front. Il était daté de la journée même, justement pour la première heure de cours de l'après-midi. Coup de chance, la secrétaire n'avait pas pris la peine d'inscrire le nom du ou de la retardataire !

Le visage encore mouillé, Béatrice pivota et inspecta chacune des cabines. Personne. Mais il y avait bel et bien quelqu'un, quelques minutes plus tôt seulement, sans qu'elle suspecte sa présence. Qui était au courant de son secret ? Qui consentait à lui venir en aide ? Qui tenait ainsi, en lui offrant ce billet de retard, à rester anonyme ? Si on lui avait dit de qui il s'agissait, jamais elle n'aurait voulu le croire.

Sans plus attendre, elle s'épongea le visage avec le papier rêche et remis un peu de cache-cernes avant de filer vers le cours de français.

## Journal de Marjorie : 10 avril...

*J'ai fui. Sans dire un mot. Comme une voleuse.*

*Béa reste mon ennemie, même si je ne lui en veux plus autant. Peut-être parce que j'ai senti que Thomas la manipulait, elle aussi. Peut-être parce que je comprends maintenant mieux ce qu'elle s'impose pour garder la ligne. Peut-être parce qu'au fond, je m'aperçois qu'elle est fragile, sensible. Au-delà des foutues apparences, on se ressemble. On vit des choses similaires.*

*Fudge ! Pfft ! Axel a raison : on est toujours solidaires même lorsque l'amitié s'en est allée. Et j'aime tellement la bouffe que j'en fais mes jurons.*

*La voir en train de se vomir les tripes, ça m'a donné un coup. Ça ne me tentait plus d'aller en classe, de me taper deux périodes de soixante-quinze minutes au cours desquelles, je le sais bien, j'aurais eu la tête carrément ailleurs, à ressasser les événements impossibles, et pourtant réels, du dîner.*

*Je suis partie. J'ai quitté l'école. Pour la première fois de ma vie. Avant le temps et sans en informer personne. Je me fous des conséquences et de ce que mes parents diront... Ça ne les regarde pas. J'ai envie de vivre ça seule. Parce que c'était trop. Tellement trop. Oui, j'en ai trop entendu, trop vu. Et maintenant, il y a plein de questions qui déferlent.*

*Plusieurs concernent Thomas. Je dois tout digérer avant d'y voir plus clair.*

*Thomas... Mon beau Thomas. Mon parfait Thomas. Le garçon de ma vie.*

*Qu'est-ce que tu as fait? On dirait que tu cours deux lièvres à la fois, que tu te demandes lequel représente le meilleur choix et que, en attendant, tu ne te montres qu'avec un seul en faisant des accroires à l'autre. Et cet autre... c'est moi. Comme j'ai été conne de penser que tu étais différent des autres, que tu pouvais m'aimer pour ce que je suis, sans tenir compte de ma taille. Parce que ça revient à ça, hein? Un chiffre. Un standard. Une norme. Un absolu de merde!*

*J'ignore si un jour je réussirai à te reparler. J'ignore si j'oserai te poser ces questions et étaler mes déceptions. Des plans pour que tu ries de moi... Sais-tu à quel point ça fait mal? À quel point ça ravage, ça brise, ça tue? Ce n'est pas possible de faire subir ça à quelqu'un. Même à une grosse, même à une débile, même à une laide, même à une boutonneuse. Ça ne se fait pas!*

*Comment ai-je pu ne rien voir plus tôt? Comment ai-je pu garder les yeux aussi longtemps fermés? Comment ai-je pu ne pas lire entre les lignes l'hésitation, puis la trahison de Thomas?*

*Oui, une conne. Une vraie de vraie. Tout ça parce que j'ai été aveuglée par l'amour d'un gars et la haine d'une fille!*

## Slam de Béa

*La valse des vautours,*
*Ici et là, à l'entour.*
*Ils accourent*
*Au son du tambour.*
*Le premier la jette du côté cour,*
*Le deuxième guette ses contours*
*Le dernier veut pas que de l'amour.*
*À chaque carrefour,*
*Ils jalonnent son parcours.*
*Point de non-retour,*
*Pas de demi-tour.*
*Tout devient trop lourd...*
*Au secours !*

Béatrice referma le carnet où elle transposait la plupart de ses poèmes. Thomas... Jamais elle n'aurait cru qu'il pût devenir un ennemi à ses yeux. Un ennemi de plus. Comme si elle n'en comptait pas déjà assez. La dernière des illusions venait de tomber. Il n'existait plus de rempart derrière lequel se réfugier. Comme elle aurait souhaité que sa mère l'enlace, qu'elle lui chante de douces berceuses. Pour ressentir un peu d'amour. Elle en avait tellement besoin.

Le printemps s'installait pour de bon. Le soleil allongeait sa courbe dans le ciel. L'air chaud d'avril faisait fondre les dernières plaques de neige. Les oiseaux célébraient le retour à la vie. Les arbres bourgeonnaient, les tulipes multicolores qui garnissaient certains jardins et parterres explosaient.

Marjorie ouvrit volontiers son manteau et desserra son écharpe autour de son cou. Elle marchait d'un pas léger, heureuse d'avoir remisé ses bottes. Le sac à l'épaule, le nez un peu relevé, elle écoutait l'air de *soleá por bulería* qui jouait en boucle dans ses oreilles.

DOUZE, un, deux, TROIS, quatre, cinq, SIX, sept, HUIT, neuf, DIX, onze, DOUZE, un, deux, TROIS, quatre, cinq, SIX, sept, HUIT, neuf, DIX…

Un *palo* accentué sur cinq temps capitaux. Un rythme essentiel, fondamental, envoûtant et obsédant. Elle comptait en marchant, en faisant coïncider chaque pas à un temps. Et entre chacun, elle se tapait sur le côté de la cuisse droite en guise de contretemps.

Lorsqu'elle entra dans le petit café *Farniente*, elle sourit. Elle n'y allait pas pour ne rien faire, mais bien en vue d'effectuer quelques relectures de notes pour un examen. Elle aimait bien l'ambiance décontractée du lieu surtout investi par les collégiens, de quelques années plus vieux qu'elle. Parfois,

elle surprenait leurs conversations à saveur philoso-
phique, un brin révolutionnaire, toujours originales
et à l'emporte-pièce.

Elle posa son bol de chocolat au lait et s'assit.
En sirotant la première gorgée, elle remarqua Béatrice
Demers qui lisait non loin. Un livre de Proust
plutôt qu'une revue de mode ou de potins de
vedettes. Les deux filles se jaugèrent avec un certain
embarras. La ballerine avait toujours en travers de
la gorge ses excuses qui avaient mal tourné; la
danseuse de flamenco se demandait si elle devait
parler de ce qu'elle avait entrevu dans les toilettes
de l'école.

Au bout de quelques minutes, elles finirent par
se saluer discrètement. Alors, Béatrice abandonna
sa lecture et vint vers Marjorie qui se redressa, sur
le qui-vive.

— Salut.

— Salut.

Une longue pause suivit cet échange désincarné.

— Tu sais, pour l'autre jour… Je voulais vraiment m'excuser.

Marjorie s'attarda sur l'attitude de sa rivale, sur
son intonation, sur ce qui pouvait la trahir ou
contredire ce qu'elle disait. Elle n'y décela pourtant
que de la sincérité et de la tristesse.

— D'accord, répondit-elle.

— J'ai été odieuse, poursuivit Béatrice.

— Moi… moi aussi, admit Marjorie.

La ballerine esquissa une moue mi-figue mi-raisin. À son tour, elle étudia l'attitude de l'autre jeune fille. Elle n'y remarqua aucune trace d'animosité. Les faux-semblants ne coloraient pas ses propos ou son comportement.

— J'en ai assez de nos chicanes.

— Moi aussi.

Elles ne souriaient pas. Les deux adolescentes étaient certes prêtes à enterrer la hache de guerre ; elles n'étaient pas encore disposées à pardonner. Encore moins à oublier.

— Des fois, déclara Béatrice, je m'ennuie du bon vieux temps.

Marjorie approuva d'un vague signe de tête avant de tourner le visage vers la fenêtre, comme pour ne pas donner libre cours à la nostalgie qui l'envahissait elle aussi.

— Bon, je te laisse, annonça la ballerine. Il faut que j'y retourne.

Un groupe de quatre collégiens s'approcha et reluqua la table qu'occupait Béatrice. Une table pour quatre justement, alors qu'elle était seule. Marjorie fit un peu de place devant elle.

— Tu veux t'asseoir ?

— Avec toi ? Sérieux ?

— On n'est pas obligées de se parler.

La ballerine ne se fit pas prier pour accepter cette invitation tombée du ciel. Elle récupéra ses affaires et s'installa devant Marjorie tandis que les quatre nouveaux venus les remercièrent. La danseuse de flamenco replongea dans la lecture de ses notes de cours.

— Comment on en est arrivées là? demanda Béatrice.

— Tu veux vraiment que je réponde à ça?

— Non. Ce que je veux dire c'est...

— Écoute, Béa, soupira la danseuse de flamenco en levant les yeux de son cahier. Pour aujourd'hui, qu'on s'assoie ensemble, c'est déjà un miracle. Pour le reste, on verra demain. Ou un autre jour. OK?

Béatrice opina avec un sourire qu'elle ne parvenait pas à camoufler. Alors, pleine d'espoir, elle reprit sa lecture.

L'heure passa. Autour des deux adolescentes, les clients allaient et venaient, entraient et sortaient, se retrouvaient ou se quittaient. Puis, comme le soleil déclinait et que les lumières du café prenaient la relève, une voix étonnée retentit près d'elles.

— Ma foi! J'ai la berlue ou quoi?

Marjorie et Béatrice relevèrent le nez dans un synchronisme parfait. Caroline Saint-Gelais les dévisageait d'un air incrédule.

— Comme ça fait du bien de vous revoir ensemble!

Les jeunes danseuses se toisèrent du coin de l'œil. Oui, elles s'ennuyaient du bon vieux temps. Bon vieux temps pas si lointain, à vrai dire.

— Maman, qu'est-ce que tu fais ici ? lui demanda Marjorie, intriguée.

Et comme sa mère ne cessait de sourire en les dévisageant, elle crut bon d'ajouter :

— Si tu veux t'asseoir avec nous, tu dois promettre de ne pas nous assommer avec tes sempiternels résumés d'articles !

Béatrice s'étrangla en riant, comme elle le faisait autrefois. La mère de Marjorie sourit.

— Non, rassure-toi. Je ne fais que passer. Mais c'est bon de voir que rien n'est jamais coulé dans le béton.

— Genre ? l'interrogea sa fille d'un ton inquisiteur.

— Je me comprends.

Caroline Saint-Gelais tourna les talons pour regagner le comptoir des pâtisseries, acheter un muffin et un café, puis s'en aller en sifflotant.

Marjorie et Béatrice s'observèrent encore un peu. Le désir de vengeance qu'elles avaient éprouvé l'une pour l'autre fondait peu à peu, telle une peau de chagrin, telle la neige au printemps.

# 9

## *Mirabrá...* le besoin d'être soi

*A mi que me importa*
*Que un rey me culpe*
*Si el pueblo es grande*
*Y me abona.*

La musique du piano flottait dans l'air. Béatrice se laissa bercer par les notes qui la soulevèrent presque. Elle ferma les yeux, dodelina, comme saoulée de grâce, puis se rappela la raison de sa présence. Elle repoussa la porte du studio et avança vers les grands miroirs.

Simone Bouvier l'accueillit, les deux poings sur les hanches, alors que le pianiste suspendait ses mains fluettes au-dessus du clavier et que les élèves, au centre du local, se retournaient vers la retardataire.

— Pas encore changée! l'apostropha le professeur de ballet. Non seulement tu es...

— Je suis venue pour remettre mon costume de scène, l'interrompit l'adolescente.

Les ballerines se concertèrent d'un regard perplexe. Simone, elle, se referma davantage sur sa mauvaise humeur. Comme elle ne bronchait pas, Béatrice posa sur la queue du piano le sac dans lequel elle avait rangé le tutu pour le spectacle de fin d'année.

— Alors toi aussi, tu te défiles! lui reprocha le professeur avec dédain en faisant allusion à Marjorie Fortin.

— Vous pouvez penser ce que vous voulez, répliqua la jeune fille sur un ton qui demeurait poli. Vous êtes toujours si certaine d'avoir raison de toute façon.

— Et comment! Je t'avais vue venir, tu sais!

Simone attendit la riposte de la démissionnaire. Celle-ci lui offrit un ultime sourire avant de rebrousser chemin. Béatrice n'avait pas envie de perdre son temps à argumenter avec cette femme détestable. Elle en avait assez. La danseuse n'en pouvait plus de se laisser envahir par les attentes des autres. Elle rêvait de changer de vie. Elle souhaitait s'accepter comme elle était. Et éliminer un à un les vautours qui l'encerclaient.

Le professeur tapa dans ses mains et la classe reprit. Simone Bouvier donna l'impression à ses élèves qu'elle ne se formalisait pas de ce départ. Pas de volonté, moins de talent; moins de talent, pas de place dans son école. Si Béatrice Demers n'était pas partie d'elle-même, elle aurait probablement fini par lui montrer la porte. Elle ne s'encombrait pas de fainéantes. Leur présence nuisait à la réputation qu'elle se construisait depuis si longtemps.

Si elle avait été une excellente ballerine et une interprète réputée, elle n'avait cependant pas l'étoffe d'une pédagogue. Comme bien d'autres danseurs, qui n'avaient pas su se recycler et qui ne savaient rien faire d'autre que danser, elle n'était pas la meilleure personne pour faire aimer son art et en partager la passion. En fait, à cause de son attitude et de son esprit impitoyables, elle obtenait le résultat contraire. Ce qu'elle ne voyait hélas pas, tant elle était convaincue de faire les choses de la bonne façon.

À la fin de la classe, après que la dernière élève eut quitté le studio, le pianiste se rapprocha d'elle.

— Ces temps-ci, je trouve que vous y allez un peu fort avec vos élèves. Elles sont si jeunes.

Piquée, Simone passa à l'attaque.

## Manifeste de la meilleure école selon Simone Bouvier

Les valeurs les plus sûres,
Les élèves les plus doués,
Les professeurs les plus aguerris,
Les chorégraphes les plus visionnaires,
Les interprètes les plus sensibles,

Les réputations les plus solides,
Les carrières les plus longues
Sortent tous de mon école.


— Voyons, Simone, insista le pianiste en dépit de l'arrogance des paroles, vous venez de perdre vos deux meilleures élèves en quelques mois à peine. Et le spectacle est dans trois semaines.

Elle ne semblait guère s'en préoccuper.

— Avez-vous déjà pris le temps de demander à une élève comment elle allait?

Simone n'eut pas besoin de réfléchir longtemps. Elle connaissait la réponse… Jamais!

— J'ai été formée à la dure, moi, et je n'en suis pas morte, que je sache! argua-t-elle. Plus on les moule jeunes, plus grands sont les résultats!

— Peut-être, mais à cause de cela, souligna le musicien, le titre convoité d'école par excellence risque de vous filer entre les doigts.

Le professeur de ballet ravala en silence. Sans diplomation exemplaire cette année-là, son établissement risquait de voir son étoile ternie. Elle ne pensait qu'à sa personne et qu'à sa renommée. Pour la première fois depuis qu'elle avait ouvert son école, elle prit conscience que le bien-être de ses élèves constituait sans doute son meilleur allié pour réaliser ses rêves. Les deux allaient de pair.

— Dans mon temps, les professeurs ne perdaient pas leur énergie à…

— Rien ne vous empêche d'améliorer la formule, Simone. Et de la rendre plus humaine.

Marjorie regarda l'heure pour la énième fois, puis l'affichette de l'horaire d'autobus. Elle leva le nez vers l'autre bout de la rue. Toujours rien. La rue était déserte à cette heure avancée de la soirée. Elle piétina un peu sur place pour tuer le temps et par réflexe, ses pieds commencèrent à exécuter le début d'une des *escobillas* de la chorégraphie de *soleá por bulería* qu'elle comptait présenter au concours de talents, dans un mois. L'*escobilla* était en quelque sorte le solo de percussions que le danseur exécutait avec ses pieds.

Un *golpe* gauche derrière, croiser avec un *golpe* droit devant, croiser encore avec un *golpe* gauche devant en ramenant les bras en ballon au-dessus de la tête avant de les poser sur la hanche droite. Un temps d'arrêt. Un *golpe* droit derrière, croiser avec un *golpe* gauche devant en ramenant les bras en ballon au-dessus de la tête avant de les poser sur la hanche gauche. Un temps d'arrêt. Puis enchaîner sur un rythme de triolet, un *golpe* droit, une *planta* gauche derrière, un *golpe* droit. De l'autre côté : un *golpe* gauche, une *planta* droite derrière, un *golpe* gauche. Encore de l'autre côté : un *golpe* droit, une *planta* gauche…

L'adolescente stoppa net lorsqu'un cycliste approcha. Elle reconnut Paolina.

— L'autobus n'est pas encore passé ?

— Non.

— Allez, j'attends avec toi, annonça le professeur de flamenco. Te laisser seule dans la rue à cette heure-ci, je n'aime pas ça.

— Ce n'est pas nécessaire.

— Mais si, j'insiste.

Paolina se redressa sur sa selle et avisa son élève.

— Tu y penses, parfois, au ballet ?

— Non, pas trop souvent, mentit Marjorie.

— J'ai beaucoup réfléchi à ce que tu me disais l'autre jour. Il existe de bons profs, tu sais. Peut-être que tu n'as pas encore rencontré celui qui te convenait.

L'adolescente haussa les épaules tout en affichant une moue résignée.

— Je suis grosse de toute façon.

Paolina posa sa main sur l'épaule de la jeune danseuse.

— La grosseur, la minceur, la superficialité, la profondeur… c'est d'abord et avant tout une question de perception. Chacun perçoit ce qui l'entoure d'une façon personnelle et subjective. Oh ! Il existe bien des canons de beauté, des standards de perfection, par contre il y a toujours des exceptions à la règle. En peinture, au début du XX$^e$ siècle, Picasso en était une. Il a inventé son propre style. Avec originalité, avec panache, avec bonheur, avec force. La vie ne se confine pas. Elle se vit. Si chaque époque a ses canons, n'oublie jamais que chaque époque ne dure qu'un temps. Alors, pourquoi se prendre la tête avec quelque chose qui ne sera plus à la mode demain?

À l'autre bout de la rue, les phares d'un autobus de la ville balayèrent les édifices avoisinants.

— En fait, il n'y a qu'un seul absolu, ajouta le professeur de flamenco.

**Recette du bonheur**
**par Marie-Paule Hébert, alias Paolina**

Ingrédients:
Une brassée d'amour et d'amitié
Une poignée de confiance et de lâcher-prise
Quelques pincées de gaieté et d'humour
Deux doigts de fierté

Préparation:
Entoure-toi et entoure les autres d'amour et d'amitié: on attire ce que l'on est.
Garde toujours confiance en la vie et lâche prise: on ne peut jamais tout contrôler.
Couvre ton visage de gaieté et délie ta langue avec humour: c'est plus beau à regarder et le rire réconforte le cœur.

Sois fière de ce que tu es et de ce que tu accomplis : même les petites personnes et les petites missions sont importantes.

À consommer sans modération et à partager avec les autres.

L'autobus s'arrêta devant les deux femmes. Le chauffeur ouvrit la large porte et salua Marjorie qui restait pourtant retranchée dans ses pensées.

— Merci, souffla-t-elle enfin en revenant à elle.

— Avec plaisir, ma belle !

L'adolescente monta à bord du bus, remercia le chauffeur et s'assit sur un siège tout en réfléchissant à la recette de Paolina. Pour faire entrer le bonheur dans sa vie, il lui manquait quelques ingrédients…

Béatrice lorgna son carnet de slams. Elle s'y transposait depuis près d'un an. Chaque mot, chaque strophe, chaque sentiment qui se dessinait derrière ses poèmes rimés lui revenaient à l'esprit. Ces fragments d'elle-même révélaient tous la même chose : sa solitude, sa vulnérabilité. Ils traduisaient son mal-être et ses craintes. Il n'y avait dans ce tas de feuilles brochées et collées que du négatif qui se répétait dans d'autres mots, d'autres formulations. Elle n'en pouvait plus. Ressasser l'extrême tristesse qui l'accablait lui était désormais insupportable. Elle devait changer, transformer sa vie.

Alors, Béatrice prit son carnet. Elle le serra un instant contre son cœur en fermant les yeux.

— Je n'ai pas envie de me souvenir de cette vie-là, plus tard…, chuchota-t-elle.

Elle tendit le bras et lança le carnet dans les flammes. La dernière année se consuma lentement dans le foyer de la cheminée. Le papier jaunit, rougit, crépita. Les flammes s'élevèrent, vacillèrent puis moururent. Des mots ressentis, il ne restait plus que des cendres. Elle avait rasé un pan de sa vie. Elle s'était purifiée par le feu. À l'aide d'un flacon, elle récupéra une partie de la poussière encore chaude. Elle vissa le petit couvercle et regarda l'étiquette qu'elle avait collée un peu plus tôt sur la fiole.

*Moi*
*à quinze ans.*

Elle n'avait pas trouvé mieux que ce rituel pour dire adieu à la partie d'elle qu'elle n'aimait pas, qu'elle ne désirait plus.

— Qu'est-ce que tu fabriques, Béa?

Elle se releva sans répondre. Elle fit un pas vers sa chambre quand son père lui attrapa solidement le bras.

— Ça suffit, Béatrice! Parle-moi, nom de Dieu! Ça fait quatre mois que tu ne m'adresses plus la parole!

— Pourquoi je te parlerais maintenant que je sais tout au sujet de ma mère?

Charles-Édouard Demers trembla devant le courroux de sa fille. Elle savait tout? Vraiment? Comment était-ce diable possible?

— Tu ne l'as jamais aimée! lui reprocha-t-elle. Elle était bien trop grosse pour que tu t'intéresses à elle! Et elle, elle rêvait tellement de toi qu'elle a cru à tes sentiments alors que tu la manipulais. Toi, tu faisais ça pour rire, pour en imposer à tes petits copains, là. Mais pas de chance, je suis arrivée. Et quand elle est morte, on t'a forcé à t'occuper de moi. Tu ne l'aurais jamais fait sinon. Et maintenant, c'est moi que tu manipules. Pour que je ne devienne pas obèse à mon tour. Pour que je ne lui ressemble jamais. Je n'en reviens pas à quel point tu as été odieux! Le pire, c'est que tu continues de l'être!

Il eut l'impression de prendre en pleine gueule la pire raclée de sa vie. Une larme glissa sur sa joue. Une larme qui ébranla sa fille. Du coup, son père ne ressemblait plus à l'homme fier et confiant qui riait aux éclats pour un rien, qui charmait à tout venant. La goutte d'eau salée vint mouiller la commissure de ses lèvres.

— Qui a bien pu te raconter ces salades? souffla-t-il, sous le choc. Cette histoire est complètement absurde.

— Peu importe! répliqua Béatrice. Je l'ai appris!

Charles-Édouard tituba jusqu'au divan sur lequel il se laissa choir. Il s'enfouit le visage au creux des mains. Sa voix devint un long gémissement.

— Je l'ai aimée, ta mère. Comme un fou! C'était la seule femme à qui je pouvais tout dire. On n'avait pas besoin de se parler. On se comprenait parfaitement. On nageait sur la même longueur d'onde et j'adorais son rire. Mais les gars de la fac n'arrêtaient pas de se moquer d'elle et de son embonpoint. Ils passaient leur temps à faire des commentaires désobligeants. Sur elle, puis sur notre intimité. Ça me blessait tellement que j'ai commencé à la voir un peu moins souvent. Ta mère était peut-être grosse, mais elle était sensible, intelligente, et surtout plus forte que moi. Alors, elle a rompu et elle est partie vivre à l'autre bout du pays. J'étais dévasté. Je m'en voulais. Professionnellement, ça commençait à rouler pour moi. J'ai essayé de l'oublier. Jusqu'à son retour, trois ans plus tard. Elle avait le cancer du sein. Il ne lui restait plus que quelques mois à vivre. Et toi, tu étais dans ses bras. Si belle. Si petite. Si fragile… Je venais d'apprendre que j'avais une fille. Et je me suis fait une promesse, Béa: jamais personne ne te ridiculiserait… Personne!

L'adolescente le dévisagea avec froideur.

— Je ne te crois pas!

— J'ai eu quelques aventures, mais pourquoi crois-tu que je n'ai jamais refait ma vie? Aucune n'arrivait à la cheville de ta mère et tu es mon unique passion. Dans ma vie, il y a ma fille et mon boulot.

— Alors pourquoi Marie-Soleil s'amuse-t-elle à répéter ces conneries?

Marie-Soleil, sa nouvelle flamme... Il l'avait crue différente, honnête, amoureuse. Non, aucune ne pouvait rivaliser avec le souvenir de son premier amour. L'homme rentra la tête dans les épaules. Il avait perdu son éclat. Son masque était tombé. Il ne chercha cependant pas à le remettre.

— Je ne sais pas. Elle connaît des tas de gens et elle a forcément dû entendre quelque chose. Je dois avouer que... j'ai toujours laissé mes anciens copains de la fac raconter n'importe quoi au sujet de ta mère. Je ne suis pas parfait, Béa. Je suis faible. Je n'ai jamais été capable de dire ouvertement que j'aimais ta mère. Parce que j'ai constamment peur qu'on me juge...

Béatrice quitta l'espace salon du loft pour regagner sa chambre. Elle revint aussitôt avec son cadeau de Noël plié sur les bras.

— Quelle taille je fais, papa?

— Quatre.

— Tu connais la taille de ce pantalon?

Il hésita.

— Oui. Deux...

Béatrice se rappela les semaines infernales qu'elle avait passées après Noël. Des jours entiers à réduire son apport calorique, à vomir ses repas pris en public, à redoubler ses entraînements, à ressentir maux de tête et vertiges, à tomber en pleine répétition de ballet. Dans le seul but de porter un stupide pantalon trop petit. Elle éclata en sanglots.

— Pourquoi? lui demanda-t-elle. Pourquoi!

— Parce que je ne voulais pas que tu sois grosse ni malheureuse...

— Mais je le suis, malheureuse! se récria-t-elle en lui jetant le pantalon au visage. Tu ne le vois donc pas? Comme dix! Comme mille!

Le regard des autres. Charles-Édouard Demers y était hypersensible. Il le craignait. Il recherchait l'assentiment de ses pairs et leurs éloges. Il n'avait pas su composer avec une amoureuse trop grosse; il n'aurait pas davantage réussi avec une fille obèse. Il avait donc passé les douze dernières années à surveiller la vie et le poids de Béatrice. Il avait fait fi de sa propre sensibilité. Il ne voyait pas qu'au fond, c'était à lui qu'elle ressemblait le plus. Comme lui, elle agissait toujours en fonction des exigences des autres. Elle ne pensait qu'à performer. À la maison, au ballet, à l'école. Même avec Thomas qui, à grands coups de menaces, voulait la faire basculer dans son lit.

Le père se leva. Il toucha le visage défait de sa fille.

— Pardonne-moi, ma Béa. Pardonne-moi...

En pleurs, ils s'enlacèrent. La force de leur étreinte ne se relâcha qu'après plusieurs minutes.

— S'il te plaît, papa, murmura la jeune fille. Promets-moi que tu ne recommenceras jamais plus. J'ai besoin de vivre ma vie et d'être moi. Tellement.

— Juré craché. Si je mens…

— Laisse l'enfer où il est. On en arrive…, dit Béatrice.

Malgré leur douleur encore vive, ils se sourirent et s'étreignirent encore plus fort. Le ciel de Béatrice se dégageait. Un deuxième vautour venait de le quitter.

Il la dévisagea sans trop la croire. Avait-il bien entendu? Se moquait-elle de lui? Elle ne pouvait quand même pas… Non, ce ne pouvait être vrai. Il avait tout prévu. Et ce qui était en train d'arriver ne figurait pas parmi les scénarios envisagés.

— Je crois qu'on ne s'aime pas assez, continua-t-elle de plus belle.

— Pas… assez? balbutia-t-il, désorienté.

— Toi, tu ne m'aimes pas assez pour me laisser faire les choses à mon rythme, ajouta-t-elle. Et moi…

Béatrice fit une courte pause avant de poursuivre.

— Et moi, je ne t'aime pas assez pour répondre tout de suite à tes attentes.

— Mais…

— Il n'y a pas de mais, Thomas. C'est mieux ainsi.

— On m'a dit que tu l'avais déjà fait! se dépêcha-t-il de placer dans la conversation. Je ne vois pas où est le problème!

Béatrice soupira. Elle n'avait pas à se justifier. Pourtant, elle crut bon de mettre les points sur les « i ».

— Peu importe ce qu'on t'a dit, ce n'est pas parce qu'une fille accepte une fois de faire l'amour avec un gars qu'elle devient une marie-couche-toi-là...

Elle s'éloigna sans s'arrêter, sans hésiter, sans se retourner.

Thomas demeura pantois. Ses paupières clignèrent comme s'il venait d'assister à une scène surréaliste à la David Lynch. Elle l'avait largué, lui! Il chercha les indices annonciateurs de sa déconfiture et n'en trouva aucun. Jamais il ne lui vint à l'esprit qu'il avait peut-être trop insisté et que les menaces ne se révélaient pas toujours des plus efficaces.

Du coin de l'œil, il aperçut une silhouette familière qui courait vers le dernier cours de la matinée.

— Jo! la héla-t-il.

Marjorie s'immobilisa au pied de l'escalier principal. Contre toute attente, le visage de l'adolescente ne souriait pas comme à son habitude quand elle le croisait dans les corridors. Il ne s'en formalisa toutefois pas.

— J'ai une bonne nouvelle, annonça-t-il quand il l'eut rejointe.

— Ah oui ? dit-elle d'un air indifférent.

— Béa et moi, c'est fini. J'ai… cassé.

— Tu veux dire que tu as cassé parce qu'elle a refusé de coucher avec toi et que tu espères que je dise oui juste parce que les grosses n'ont pas le choix ?

— Hein ? trouva-t-il simplement à répondre tant le ton direct et la perspicacité de la jeune fille le prenaient au dépourvu.

Marjorie n'attendit pas la réponse et grimpa l'escalier. Il la rattrapa et tira sur sa manche.

— Qu'est-ce qu'elle t'a raconté ?

— Je vous ai entendus, l'autre jour, dans un des cubicules de la bibli.

Thomas tomba des nues. Ses deux lièvres lui échappaient en même temps.

— Je… ce que j'ai dit… c'était une manière de parler… genre…

— Une manière qui fait mal, qu'elle soit vraie ou fausse. Alors, oublie-moi, Thomas Legault !

Elle se dégagea de son emprise et disparut dans la cohue des étudiants qui se bousculaient vers le prochain cours. Thomas n'avait pas envisagé ce second évincement en quelques minutes à peine. Qu'allait-il faire ? Pour qui allait-on le prendre ?

Les images d'un film se mirent à défiler dans sa tête…

## UNE HISTOIRE DE GARS
Un scénario de Thomas Legault

### SÉQUENCE 13 : LA GANG
### EXTÉRIEUR. PARC – JOUR

Gars 1, 2 et 3 forment un cercle autour de Gars 4, effrayé et paniqué, qu'ils poussent à qui mieux mieux. Ils le condamnent en lâchant des postillons.

GARS 1 *(gros plan)*

Alors, tes preuves, ça vient ?

GARS 2 *(gros plan)*

On n'a pas que ça à faire, attendre !

GARS 3 *(gros plan)*

Moi, je dis qu'il est fif !

GARS 2 *(gros plan)*

Ouais, une tapette !

GARS 3 *(gros plan)*

Homo !

GARS 1 *(gros plan)*

Pédale !

Effaré, Gars 4 tombe sur le sol, se relève et tente d'échapper aux insultes.

Thomas n'était pas un salaud. Lui aussi se raccrochait en permanence aux regards et aux opinions des autres. Lui aussi vivait dans un monde où les apparences et le besoin d'appartenance commandaient trop souvent ses pensées et ses décisions. Ainsi, la virilité des garçons, leur virginité ou leur orientation sexuelle devenaient des armes de destruction massive de leur personnalité, des armes nucléaires contre eux-mêmes. Lui aussi sacrifiait ce qu'il était réellement pour bien paraître devant ses amis. Lui aussi devait apprendre à s'en affranchir.

Marjorie se présenta au comptoir du magasin de vêtements qui lui louait un local, aménagé dans l'arrière-boutique. La propriétaire l'accueillit d'un large sourire.

— Salut, Jo! Qu'est-ce que je peux faire pour toi?

Le commentaire déconcerta la jeune danseuse.

— Il est quatorze heures. Je viens pour le studio.

La propriétaire fronça les sourcils en consultant son agenda.

— Désolée, la place est déjà prise. Tu as dû te tromper. Tu as l'habitude de venir les samedis matin.

— Oui, je sais, mais Cynthia l'avait écrit sur un bout de papier et m'a dit que si c'était pris, elle me rappellerait. Comme je n'ai pas eu de nouvelles…

— Un bout de papier?

Il n'y avait que ça, des morceaux de papier qui traînaient. De la main, elle en dispersa quelques-uns.

— Je compte vraiment là-dessus, insista Marjorie. Le concours est dans deux semaines.

La propriétaire chercha sous l'agenda ouvert et découvrit un Post-it gribouillé. Son visage se couvrit de tristesse.

— Zut, se désola-t-elle. On a oublié de l'inscrire. Sauf qu'il y a déjà quelqu'un dans la salle...

Sur ces entrefaites, la porte du studio de danse s'entrouvrit sur Béatrice Demers qui avait oublié sa bouteille d'eau à côté d'un des salons d'essayage. Était-ce l'ingrédient «amitié» qui refaisait surface dans la recette du bonheur de Marjorie? Une idée saugrenue germa dans l'esprit de celle-ci.

Elle fonça vers l'arrière-boutique et entra sans s'annoncer. Béatrice, qui buvait une gorgée, sursauta.

— J'ai une proposition à te faire, annonça Marjorie.

Un sourire discret apparut sur le visage de la ballerine. Du coup, elle eut l'impression de remonter le temps, les mois, l'année. De revenir en arrière jusqu'à cette période bénie où les deux filles étaient les meilleures amies du monde.

# 10

## *Por bulería...* et puis après?

*Tengo en mi casa un jardín*
*Por si viene un contratiempo*
*Vender yo flores pa' ti*
*Y decirte mis pensamientos.*

Les derniers jours avaient filé à la vitesse de l'éclair. Tout s'était précipité. Résultat : la tenue du concours approchait finalement... trop vite! Depuis des mois, elle rêvait à cet instant; elle voulait maintenant le repousser. Juste un peu. D'un jour ou deux. Pour être fin prête, pour tout maîtriser, pour exécuter chaque geste à la perfection. Mais cela était-il vraiment possible?

*Lâcher prise...* Elle respira par le nez, fit quelques rotations d'épaules afin de se détendre.

— Tu es certain qu'elle n'est pas arrivée?

— Formel! cria son père à travers le condo.

— Relaxe, Jo, lui conseilla sa mère. Tout va très bien se passer. Tu vas voir.

215

Marjorie s'assit, les bras ballants, et renversa la tête vers l'arrière.

— Je me demande si c'est une bonne idée…

— Quoi ? Le concours ?

La jeune danseuse ne répondit pas, absorbée dans ses pensées, ses questionnements et sa nervosité. Elle avait agi sur un coup de tête dans le but d'en finir avec les querelles et la haine, de passer l'éponge et de revenir à la case départ. Ses intentions s'avéraient nobles ; le moyen, lui, l'était-il ? Elle ne savait plus. Chose certaine, l'aventure comportait des risques.

— Je crois que tu as eu une super idée, ajouta Caroline comme si elle lisait en elle.

— Ce n'est jamais bon de changer ses réponses d'examen à la dernière minute, commenta Marjorie.

— Ah non ? Qui a dit ça ?

— Tout le monde !

Caroline Saint-Gelais lissa les cheveux de sa fille pour créer un chignon bas, sur la nuque. Pendant un instant, elle eut envie de lui parler de la raison qui brime souvent l'instinct même s'il pimente la vie et alimente l'esprit créatif de chacun. De grands auteurs comme Freud, Pascal ou Condillac les avaient autrefois opposés avec verve. Or, pour vivre en équilibre, l'être humain a besoin des deux… La femme n'en souffla mot. Marjorie lui reprocherait sûrement de résumer encore une fois ce qu'elle lisait dans les journaux et les revues.

— Fais-toi confiance, chérie, et tout ira bien, la réconforta-t-elle, à la place.

Marjorie esquissa un sourire. Elle attrapa la main de sa mère et y posa sa joue. Elle ferma les yeux en prenant une grande inspiration.

Avoir confiance… en son jugement, en son instinct ; en ce qu'elle avait appris, en ce qu'elle avait besoin de créer. Elle en manquait un peu, parfois beaucoup, souvent énormément. Mais son entêtement la faisait néanmoins avancer.

— Tu es la meilleure, assura Caroline après avoir déposé un baiser sur le front de Marjorie.

— Tu dis ça parce que je suis ta fille !

— Justement ! Et ce serait bien le bouquet si quelqu'un m'empêchait de t'aimer, de croire en toi et de te le dire !

Une petite larme chatouilla le coin de l'œil de l'adolescente.

— Non, pas ça ! s'écria Caroline Saint-Gelais, la main déjà tendue vers un mouchoir. Tu veux ruiner ton maquillage ou quoi ?

— Là c'est vrai que je serais en retard !

La mère et la fille pouffèrent pour mieux évacuer leur émotion et leur nervosité à fleur de peau.

Marjorie regarda l'heure pour la énième fois.

— Elle arrive ou quoi ? cria-t-elle.

— Négatif ! répondit son père, de faction devant la porte-fenêtre du salon.

L'adolescente se rongea un ongle.

— Arrête donc de bouger, la supplia sa mère qui tentait d'attacher le chignon avec des barrettes.

Elle finit par faire tenir la coiffure, l'aspergea de fixatif, puis l'orna d'une grosse fleur rouge. Marjorie secoua vigoureusement la tête. Aucune mèche ne se déplaça.

— Pour le costume et les dernières retouches, on fera ça sur place, proposa sa mère.

— À condition qu'elle arrive! s'impatienta l'adolescente.

— Elle ne va plus tarder, Jo. On a encore du temps devant nous.

— Et si elle me laissait tomber?

— Mais non, voyons. Je vais l'appeler, d'accord?

Marjorie acquiesça, jetant son dévolu sur un autre ongle.

— Et Axel? s'écria-t-elle soudain. Il n'oublie pas la musique, hein?

## Liste « soir de première » par Axel Fortin

- ✓ Trac. Panique. Angoisse.
- ✓ Vertiges. Essoufflement. Ulcères.
- ✓ Crampes abdominales.
- ✓ Nausées ou chiasse.
- ✓ Faire le vide. Ne plus penser à rien.
- ✓ Jusqu'à tout oublier!

— Arrête, Axel…, le pria la jeune danseuse. Tu me donnes mal au cœur, là…

Caroline Saint-Gelais décocha une œillade réprobatrice à son fils aîné.

— Je l'ai, ton remix, confirma-t-il en brandissant la pochette d'un disque compact.

Marjorie inspira par le nez, sans réussir à sourire, avec l'impression qu'elle oubliait forcément quelque chose. Mais quoi?

Elle se mira dans la glace. Elle balaya l'air de ses mains et tourna sur elle-même.

— Tu es superbe, Béa.

Elle répondit d'un sourire amusé. Peu à peu cependant, elle plissa le front inquiète.

— Quelque chose te tracasse? demanda Charles-Édouard Demers à sa fille.

La ballerine haussa les épaules.

— Je n'aurais jamais dû accepter.

— Pourquoi?

— Parce que les juges n'y comprendront rien.

— Ce ne sont quand même pas des tarés.

— Peut-être, mais pour la première place, ça va être difficile, regretta-t-elle. Pour ne pas dire impossible.

— Ce que tu vas faire aujourd'hui, est-ce que ce sera bien? Vas-tu en être fière? Vas-tu t'amuser?

Béatrice dévisagea son père, la tête inclinée, les sourcils arqués, la bouche entrouverte de stupeur. Elle secoua le menton comme si elle venait de rêver.

— Tu as donc bien changé, toi!

Charles-Édouard n'avait pas changé tant que ça. Il avait seulement décidé de redevenir l'homme qu'il était une quinzaine d'années plus tôt. Il avait repris sa route d'antan, là où il l'avait quittée. Un long détour pour revenir en arrière. Avec un peu plus de sagesse toutefois. Ce retour aux sources généré par la crise existentielle de sa fille avait créé en lui le désir de s'émanciper de son besoin vital de contrôler l'image qu'il projetait. Désormais, il lui arrivait de sortir avec une barbe de plusieurs jours, sans parfum ou avec le même pantalon deux journées de suite. Il ne s'en portait pas plus mal. Au contraire, il aimait bien l'attitude je-m'en-foutiste qui se dégageait de lui. Du coup, il prenait plaisir à surprendre ses habituels collaborateurs.

— C'est grâce à toi. Et c'est pour le mieux.

— N'empêche qu'avec tous nos efforts...

— L'important, c'est de participer.

### PUB « DANCE »
#### À la manière de Charles-Édouard Demers,
#### sur une chanson de Pink

*If God is a DJ.*
*Life is a dancefloor*

*Love is the rythm*
*You are the music*

Elle éclata de rire en le voyant se trémousser en scandant les paroles du tube. Il lui caressa la joue.

— Pour moi, tu mériteras toujours la première place.

— Tu as un parti pris, genre.

— Ça ne me pose aucun problème, genre.

Il la prit par les mains et l'obligea à entrer dans sa danse. Un bref instant de détente avant le spectacle de la soirée. Ensemble, ils reprirent à tue-tête le reste de la chanson de Pink.

Charles-Édouard Demers remarqua les joues roses de sa fille, pourtant sans fard. Ses yeux étaient moins cernés ; son regard, plus brillant ; son sourire, plus spontané. Dire qu'il avait failli tout gâcher !

À bout de souffle, Béatrice s'immobilisa. Elle ressentit le besoin de lui avouer quelque chose, sans que les mots parviennent à franchir ses lèvres. À bien y penser, celui qui avait veillé avec un zèle farouche sur ses apports caloriques avait dû se rendre compte des deux kilos qu'elle affichait en plus. Pourtant, il ne disait rien, il n'émettait aucun commentaire. S'en moquait-il ? Rongeait-il son frein en silence en attendant une éventuelle occasion de le lui reprocher ou la laissait-il vivre sa vie comme bon lui semblait ?

Depuis deux semaines, elle reprenait goût aux repas. Elle avalait chaque bouchée avec bonheur, lentement, comme pour la première fois. Elle redécouvrait des saveurs et des textures trop longtemps mises de côté. Ses vertiges, ses maux de tête avaient disparu. Elle se portait mieux depuis qu'elle ne passait plus par la salle de bain dans le seul but de correspondre à un idéal qu'elle n'avait pas choisi, à un simple chiffre.

— Allez, dit-il en l'aidant à enfiler sa veste. Sinon on va arriver en retard.

Béatrice leva le bras pour le retenir.

— Crois-tu que…

Ses prunelles s'embrumèrent. Elle renifla, puis se racla la gorge. Sa voix se teinta de trémolos.

— Crois-tu que maman serait fière elle aussi?

— Tu parles! Elle serait la première à t'encourager et à te lancer des fleurs, à te pousser en avant et à te dire : fonce et amuse-toi !

Rassérénée, l'adolescente sourit.

— Tu as raison, dit-elle en changeant de sujet. On va y aller. Sinon elle va nous faire un drame…

Frénésie. Excitation. Nervosité. Crise de panique. Hyperventilation. Espoirs. Doutes.

Une ambiance indéfinissable régnait tant dans la foule de spectateurs que dans les coulisses du grand auditorium de l'école. Le concours de talents battait son plein. Depuis deux heures déjà s'enchaînaient des numéros d'une durée maximale de deux minutes qui alternaient avec les applaudissements et les cris d'encouragement ou de chahut. Plus d'une centaine de participants s'étaient inscrits en solo ou en groupe. Sous la forte pression, quelques-uns s'étaient désistés à la dernière minute.

Tours d'adresse, chant et vocalises, humour, imitation, danse, dessin de vitesse, récitation des cents premières décimales du nombre Pi... il y en avait pour tous les goûts.

Le jury commanda une pause bien méritée, et une foule monstre se déversa par les portes doubles de l'auditorium pour envahir les corridors voisins, la section des casiers ainsi que la cafétéria. Une rumeur incroyable et assourdissante flottait. Parents, amis, voisins, camarades de classe, enseignants commentaient les prestations déjà auditionnées et révélaient leurs coups de cœur ou leurs coups de gueule. La pâmoison cédait parfois la place à l'indifférence ou aux ricanements. Sur les lèvres commençaient à courir les noms des candidats qui pourraient se hisser aux trois premières positions. Tout de même, il restait encore un acte.

L'intermède s'acheva au bout d'une vingtaine de minutes. Les spectateurs regagnèrent leurs sièges. Le directeur de l'école, qui faisait office de maître de cérémonie, se présenta de nouveau sur scène, micro à la main, le sourire fendu jusqu'aux oreilles.

— Alors ? lança-t-il à la foule pour attirer son attention. Vous êtes prêts pour la suite ?

De puissants applaudissements saluèrent l'annonce, suivis de sifflements stridents et de cris.

— Et vous, mesdames et messieurs du jury ? Parés pour cette deuxième partie de notre nouveau concours de talents ?

Le juge en chef leva le pouce en l'air en signe d'assentiment.

— Eh bien ! continua le directeur. Je vous prie d'accueillir nos prochains participants ! Il s'agit d'un groupe rock de cinquième secondaire… et j'ai nommé *The Wolf Gang* !

Tandis que les cinq musiciens et chanteurs s'amenaient sur scène, la tension monta d'un cran dans les coulisses et dans les loges aménagées dans les locaux de classe jouxtant la scène. Là, Marjorie Fortin et Béatrice Demers retouchaient leur maquillage d'une main nerveuse.

— J'aurais aimé que tu arrives plus tôt pour qu'on répète une dernière fois, fit valoir la danseuse de flamenco.

— Ça n'aurait rien changé, tu le sais aussi bien que moi.

— Peut-être, mais…

— On est au point, décréta la ballerine. Reste à savoir si on va séduire le jury et le public.

— Reste à… C'est facile à dire, ça !

Les deux jeunes filles soupirèrent à l'unisson. Elles avaient entrevu, lors de la première partie, quelques numéros et avaient dû s'avouer, sans oser se le dire à haute voix pour ne pas se décourager complètement, que la présence de certains candidats rehaussait le niveau de la compétition. Rien n'était joué, rien n'était gagné.

— On va donner tout ce qu'on a, souffla Béatrice.

Marjorie acquiesça d'un énergique signe de la tête.

— On va leur montrer ce qu'on sait faire !

Elles se sourirent, complices comme autrefois.

— Je suis vraiment heureuse de danser avec toi, tu sais.

— Moi aussi, Béa.

— C'est tout ce qui compte, hein ?

Marjorie réfléchit.

— Bah ! Je ne cracherais pas sur cinq cents dollars quand même.

Béatrice lui asséna un petit coup de coude.

— Deux cent cinquante, tu veux dire !

Un enseignant entra dans le local et appela les cinq participants suivants qu'il invita à attendre dans les coulisses. Marjorie et Béatrice lui emboîtèrent le pas, triturées par l'anxiété qui rebondissait soudain dans leur estomac. En moins d'une minute, elles se retrouvèrent sur les planches, cachées par les lourds rideaux de velours rouge. Elles fermèrent les yeux pour ne pas voir la performance des candidats qui s'exécutaient devant elles. Elles tentèrent de concentrer leur esprit sur la chorégraphie qu'elles avaient imaginée en hâte. Elles essayèrent d'ignorer l'ardeur des applaudissements. Puis le maître de cérémonie les présenta au public.

— Et dans un numéro de danse originale alliant rock, folklore et modernité, voici maintenant Béatrice Demers et Marjorie Fortin!

Dans l'obscurité, Béatrice alla vite prendre sa place, au centre de la scène. La version instrumentale de *Stairway to Heaven*, de Led Zeppelin, éclata et un faisceau de lumière éclaira la ballerine vêtue d'un complet sombre. Elle exécutait des arabesques aériennes, ses bras et ses pointes de satin rouge voltigeaient autour d'elle, elle pirouettait sur ses frêles chevilles.

Peu à peu, la musique devint celle d'une guitare sèche. La danseuse se recroquevilla par terre. Son visage se fit hagard. Elle semblait craindre quelque chose, mais quoi, se demandèrent les spectateurs qui ne comprenaient pas ce qui se passait.

Un puissant ¡*ay!* surgit du néant. En arrière-plan apparut une autre danseuse. Marjorie, portant le même costume que sa compagne, fit alors résonner ses chaussures de flamenco rouges. Elle avait la passion dans les pieds, la grandeur dans les bras et la fatalité dans le regard. Puis, après un *zapateado* au rythme effréné, elle tendit la main vers la ballerine qui se releva.

Les deux jeunes filles dansèrent ensemble, chacune dans leur propre style. Tension, hésitation, duel, dualité. Contre toute attente, la ballerine tapa le sol avec ses pointes, alors que la danseuse de flamenco accomplissait une série d'arabesques classiques. L'une devenait l'autre, l'autre devenait l'une. Et à la toute fin, elles s'enlacèrent au point que l'on ne distinguait plus la ballerine de la danseuse de flamenco. Alors, la musique mixée avec brio par Axel Fortin s'évanouit dans le grand auditorium.

Il était presque vingt-trois heures. Les spectateurs et les participants profitaient de la magnifique soirée et attendaient, sur le large parterre devant l'école secondaire, le dévoilement des choix du jury. Une dizaine d'enseignants et d'élèves dépouillaient les votes qui consacreraient le coup de cœur du public. Le maître de cérémonie monta sur une petite estrade improvisée. Sous le ciel étoilé, le silence se fit.

— Mesdames et messieurs, commença-t-il en guise d'introduction. Je dois avouer que je suis ravi de ce premier concours de talents. Tout s'est si bien déroulé que je crois que nous récidiverons l'an

prochain. Je tiens d'abord à féliciter tous les candidats qui ont partagé avec nous ce soir leur passion.
Vous étiez for-mi-da-bles!

Sous les applaudissements, les concurrents tré-
pignèrent d'impatience. À grand renfort de cris,
ils supplièrent le directeur d'abréger leur attente
qui durait depuis trop longtemps. Alors, l'homme
annonça le choix du public, la troisième position,
puis la deuxième.

Marjorie et Béatrice retinrent leur souffle. Se
pouvait-il qu'elles aient réussi à éclipser l'ensemble
des participants? Dans l'expectative du moment
qui deviendrait le plus heureux de leur vie, elles
joignirent leurs mains et fermèrent les yeux. La voix
enjouée du directeur de l'école résonna de nouveau
dans le soir de juin afin de remettre le premier prix.
Hélas, il ne prononça pas le nom des deux jeunes
filles.

Marjorie et Béatrice, les mains toujours liées, se
regardèrent, les yeux pleins d'eau.

— Ce qu'on a fait ce soir, confia la danseuse de
flamenco, ça venait du plus profond de nous. Je ne
l'oublierai jamais.

— Moi non plus, répondit la ballerine.

Autour d'elles, leurs familles s'empressèrent de
les réconforter avec de nombreux câlins ainsi que
des phrases où se mêlaient fierté et amour. Ils
s'apprêtaient à s'en aller lorsque le directeur reprit
la parole.

— J'ai enfin le plaisir de vous apprendre que le jury a décidé d'accorder une mention spéciale afin de saluer la performance originale, audacieuse et artistique de deux élèves de quatrième secondaire…

Cette fois, les deux adolescentes se virent récompenser. Et, d'une certaine manière, qu'on les nomme ainsi en dernier venait jeter un peu d'ombre sur la première position du concours. Ayant rejoint les autres récipiendaires, elles exultèrent devant la foule. Aucune bourse ne se rattachait à cette mention spéciale du jury, mais cela n'avait plus aucune importance.

## Journal de Marjorie : le 13 juin…

*Réglisse noire ! Je fais le poids !*

*Oh ! J'ai encore quelques kilos en trop, mais ils ne me dérangent plus autant qu'avant. J'apprends à vivre avec eux. Étrangement, moins je panique à propos de mon poids, plus l'aiguille du pèse-personne se tient tranquille.*

*Oui, je fais le poids. Le bon, peut-être bien. Je veux dire que c'est sans doute celui qui me convient le mieux. J'aimerais parfois mettre des trucs plus ajustés, bon, ce ne sont que des vêtements après tout, comme dirait Paolina. Ce n'est pas la fin du monde.*

*Le concours a eu lieu il y a déjà une semaine. Je n'arrête pas d'y repenser. C'était cool et en même temps si stressant.*

*Ne pas savoir ce que les autres vont penser de nous, ça vous prend par les tripes. Je suis tellement fière de notre mention spéciale, mais ça non plus ce n'est pas la fin du monde. Je ne m'enfle pas la tête avec ça. D'un côté, je me dis que si on a tous besoin de se sentir différents, ça ne va pas jusqu'au point d'aimer le rejet. De l'autre côté, sur la centaine de participants, la très grande majorité n'a pas été récompensée et ces élèves, eh bien ils continuent de sourire!*

*Sur le coup, la mention spéciale a été le clou de la soirée. Béa et moi, on nageait en plein bonheur. Mais c'est aujourd'hui qu'on a reçu le plus cadeau du monde. Pas de nos parents. Pas de nos camarades de classe ou de nos enseignants. Non, de la part de... Thomas Legault! En chair et en os! Il est venu nous voir sur l'heure du dîner, à la café. Béa et moi, on n'en revenait pas qu'il ose se montrer après ce qu'il nous avait fait croire et subir.*

*— Ce serait cool que vous me pardonniez, les filles, même si... vous n'êtes pas obligées, a-t-il dit en tendant à chacune de nous un étui de plastique renfermant un DVD.*

*Il est parti sans rien dire d'autre. Nous, on s'est précipitées vers le local d'informatique pour visionner les DVD. On ne savait pas à quoi s'attendre. La surprise a été totale! Absolument jouissive! Tellement!*

*Thomas avait été désigné caméraman en chef lors du concours de talents et avait donc filmé toutes les performances sous trois angles fixes. Et là, comme par magie, Béa et moi on s'est vues en train de danser. On a revécu notre duo grâce à un montage génial. Car juste pour nous, lors de la soirée, il a en plus lui-même* shooté *quelques gros plans avec sa propre caméra. On pouvait saisir l'émotion de nos visages, capter le mouvement isolé d'une main, savourer la vitesse d'exécution d'un jeu de pieds… Quel magnifique souvenir!*

*Non, je n'aime plus Thomas. Suis-je prête à lui pardonner? Peut-être pas encore. Une chose est sûre, il a un sacré talent. Au fond, on en a tous un.*

*Maintenant, il reste un dernier spectacle. Celui de l'école de Paolina. Ce sera un autre moment intense, ça…*

Dernier matin à se lever au son du réveil. Dernière angoisse de révision. Dernier examen. Dernier jour d'école.

Premier jour de vacances. Premières libertés estivales. Premier soir où le lendemain ne comptait pas.

Une journée, deux vies…

Marjorie et Béatrice se retrouvèrent en soirée à la terrasse de leur café préféré. Elles commandèrent chacune un *latte* glacé.

— Tu sais, la vidéo de Thomas? Je la regarde tous les jours.

La danseuse de flamenco en faisait autant de son côté.

— Je me demandais si tu voyais une objection à ce que je… que je…

La ballerine s'interrompit au milieu de sa requête, intimidée par le regard sévère que lui retournait son amie. Elle inspira, puis reprit :

— … que je prenne des cours de flamenco avec toi.

Marjorie écarquilla les yeux de surprise, elle qui avait d'abord cru que Béatrice lui demandait la permission de fréquenter Thomas Legault.

— Je croyais que tu avais trouvé un nouveau prof de ballet.

— Et elle est tellement géniale ! s'extasia-t-elle. Rien à voir avec Simone Bouvier. Sauf que…

Elle fit une nouvelle pause. Ses prunelles se mirent à briller d'un éclat vif.

— En fait, je me suis rendu compte que danser sans toi, ce n'est pas pareil, avoua Béatrice.

Elle avait adoré leur duo lors du concours de talents, tout autant que la préparation et le montage de la chorégraphie, même si elles s'y étaient prises à la dernière minute. Pour une fois, les deux filles ne rivalisaient pas pour obtenir le premier rôle, pour performer au détriment de l'autre. Pour une fois, elles s'unissaient et s'entraidaient. Au nom de la danse, la réconciliation avait été possible. Elles étaient redevenues des amies. Peut-être même plus…

— À mon tour de te faire une proposition, dit encore la ballerine. Je prends des cours de flamenco avec toi et toi… tu recommences le ballet avec moi.

Et dans quelques années, on lance officiellement notre troupe de danse. On pourrait participer aux *peñas flamencas.*

Marjorie écoutait, avalait une à une les paroles de son amie. Danser avec Béatrice dans les rassemblements d'amateurs et d'*aficionados* du flamenco, comme elles l'avaient fait lors du concours de talents, comme sur la vidéo de Thomas… Cela représentait, à bien y penser, le meilleur des mondes. Le meilleur de leur monde.

— Et je sais comment il va s'appeler, notre duo ! s'écria Marjorie en guise d'assentiment. *Hermanas de baile.* Ça veut dire…

— *Sœurs de danse,* traduisit Béatrice. J'adore !

# Note de l'auteure

Il n'y a pas d'erreur dans la présentation des chapitres de ce roman. Oui, l'histoire commence avec le chapitre 12 et se termine avec le 10. Pourquoi? J'ai décidé d'articuler les aventures de Marjorie et de Béatrice en les collant à la structure rythmique de la *soleá*, qui est l'un des *palos* fondateurs du flamenco.

Ainsi, comme le chapitre 2 l'explique, chaque *palo* possède une structure et des accentuations propres, précises et codifiées. La *soleá*, à l'énergie plutôt dramatique, se démarque des autres *palos* par des temps forts sur les comptes de 12, 3, 6, 8 et 10. Plus encore, le compte habituel commence ici par le 12, le dernier temps de la structure musicale, comparativement au ballet classique ou à la danse moderne où le compte s'amorce par le 1 traditionnel. Enfin, les exercices et les chorégraphies de *soleá* ne se terminent pas sur le compte de 11, comme on serait porté à le croire, mais bel et bien sur le 10. Un danseur qui, par malheur, ne s'y conformerait pas perdrait toute chance d'être reconnu comme un véritable *aficionado*…

# Lexique

**Aficionado**: Personne se prenant d'affection pour une activité, un art, une science, un sport.

**Afuera**: Vers l'extérieur.

**Alegría**: *Palo* festif au rythme enlevant qui célèbre la joie de vivre.

| | |
|---|---|
| *Como reluce mi Cadiz* | Comme elle brille ma Cadix. |
| *Mira que bonita está* | Regarde comme elle est belle. |
| *Sobre un cachito de tierra* | Sise sur un petit morceau de |
| *Que le ha robaito al mar.* | terre qu'elle a dérobé à la mer. |

**¡Ay!**: Ah !

**Bulería**: *Palo* de fête par excellence, il symbolise aussi toute l'ironie des Gitans.

| | |
|---|---|
| *Tengo en mi casa un jardín* | J'ai dans ma maison un jardin |
| *Por si viene un contratiempo* | pour qu'en cas de difficulté, |
| *Vender yo flores pa' ti* | je puisse vendre des fleurs pour |
| *Y decirte mis pensamientos.* | toi et te révéler mes pensées. |

**Caña**: Chant dur, long et souvent très mélancolique.

| | |
|---|---|
| *El libro de la experiencia* | Le livre de l'expérience ne sert |
| *No sirve al hombre de ná'.* | pas à grand-chose à l'homme. |
| *Al final viene la letra* | À la fin vient la vérité. Et |
| *Y nadie llega al final.* | personne ne parvient à la fin. |

*Compás:* Rythme, structure rythmique.

*Contratiempo:* Contretemps.

*Escobilla:* Brosse pour laver le plancher. Par extension, se dit du solo que le danseur flamenco exécute dans une pièce musicale et dont les jeux de pieds rappellent le mouvement de cette brosse.

*Golpe:* Coup. Dans la danse flamenca, coup donné au sol avec tout le pied.

*Guajira:* Danse inspirée des échanges culturels entre l'Espagne et l'île de Cuba.

*Hola:* Bonjour.

*Jabera:* Chant populaire andalou dérivé du fandango.

| | |
|---|---|
| *Cuando paso por tu calle* | Quand j'emprunte ta rue, je |
| *Miro siempre a la ventana* | regarde toujours à ta fenêtre |
| *Esperando ver tus ojos, ¡ay!* | dans l'espoir d'apercevoir tes |
| *Pa' que alumbren la mañana.* | yeux, pour qu'ils illuminent le |
| | matin. |

*Jaleos:* Encouragement ou compliment lancé aux artistes qui s'exécutent sur scène. Il témoigne de l'appréciation du public.

| | |
|---|---|
| *¡Olé!* | Bravo! |
| *¡Eso es!* | C'est ça! |
| *¡Vamaya!* | Allons-y! |
| *¡Dale, guapa!* | Vas-y, ma belle! |

*Liviana:* Chant qui servait de préparation à ceux de registre plus dur ou difficile.

*Quita una pena otra pena*
*Un dolor otro dolor*
*Un clavo saca otro clavo*
*Y un amor quita otro amor.*

Une peine balaie une autre peine. Une douleur, une autre douleur. Un clou enlève un autre clou et un amour balaie un autre amour.

**Martinete**: Chant non accompagné de guitare qui fait référence aux dures conditions de travail dans la forge.

*Así como está la fragua*
*Jecha de candela y oro*
*Se me ponen las entrañas*
*Cuando te recuerdo y lloro.*

Quand je pense à toi et que je pleure, mon cœur devient comme la forge qui brûle de feu et d'or.

**Mirabrá**: Type de chant probablement créé par les soldats, les bandits ou les contrebandiers lorsqu'ils voyageaient à travers le pays.

*A mi que me importa*
*Que un rey me culpe*
*Si el pueblo es grande*
*Y me abona.*

Que peut bien m'importer qu'un roi me condamne. Si le peuple est grand et m'appuie.

**Palo**: Style de chant ou de danse dans le répertoire flamenco.

**Peña flamenca**: Réunion d'*aficionados* où l'on joue de la musique, chante et danse.

**Petenera**: Chant à l'origine contestée qui, selon une des hypothèses, tirerait son nom d'une chanteuse réputée être un bourreau des cœurs.

*Nadie me tendió la mano*
*Cuando más hundío estaba.*
*Que nadie venga a mi puerta*
*Pidiendo un sorbo de agua.*

Personne ne m'a tendu la main quand j'étais au plus bas. Alors que personne ne vienne à ma porte me demander une gorgée d'eau.

**Planta**: Plante. Dans la danse flamenca, coup donné au sol avec la plante du pied.

**Punta**: Pointe. Dans la danse flamenca, coup donné au sol, à l'arrière, avec la pointe du pied.

**Por dentro**: Vers l'intérieur.

**Sevillanas**: Danses festives qui ont été tardivement intégrées au répertoire flamenco.

**Siguiriya**: Style musical qui renferme les angoisses, les plaintes et les déceptions de l'homme face à son destin.

*A llorar mis penas*
*Me fui a un olivar.*
*Olivarito mas ensangrentado*
*Ni lo hay ni lo habra.*

Afin de soulager mes peines, je m'en suis allé dans une oliveraie. Il n'y a pas d'olivier plus ensanglanté et jamais il y en aura.

**Soleá**: Palo considéré «comme la mère du chant flamenco et la reine de la poésie populaire».

*¿A quién le voy a contar yo*
*Lo que a mi me esta pasando?*
*Se lo voy a contar a la tierra*
*Cuando me estén enterrando.*

À qui vais-je bien pouvoir le raconter ce qui est en train de m'arriver? Je vais le raconter à la terre lorsqu'ils vont m'enterrer.

**Tacón**: Talon. Dans la danse flamenca, coup donné au sol avec le talon.

**Zapateado**: Dans la danse flamenca, jeu de pieds frappés au sol.

# Remerciements

Je souhaite exprimer toute ma reconnaissance au Conseil des arts et des lettres du Québec qui a avalisé ce projet de roman en m'octroyant une bourse de création littéraire.

Je tiens également à remercier Sonia Fontaine, éditrice jeunesse, qui m'a suggéré d'écrire un roman pour filles ayant pour thème le flamenco.

J'aimerais rendre un hommage tout spécial à Madeleine Gaudreault-Labrecque (1931-1995), un de mes premiers professeurs de ballet classique. Sa douceur et son grand respect ont inspiré le personnage de Paolina. Madeleine était non seulement un excellent professeur, mais aussi journaliste et écrivaine jeunesse.

Enfin, merci à la danse (ballet classique, danse moderne, claquettes et flamenco) d'être entrée dans ma vie!

# Table des matières

Suivez-nous

Achevé d'imprimer en septembre 2013
sur les presses de l'imprimerie Lebonfon
Val-d'Or, Québec